MW00837694

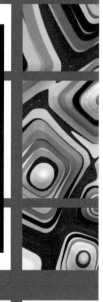

LIBRO 1
PARTE IV

COLECCIÓN

DEL COLEGIO A LA
UNIVERSIDAD II

CÁLCULO VECTORIAL

LIBRO 1 – PARTE IV

- **ECUACIONES PARAMÉTRICAS Y**
- **VECTORES EN EL PLANO**

Con aplicaciones en la vida cotidiana

Pasitos de bebé ...

GABRIEL LOA

PERÚ

CÁLCULO VECTORIAL

LIBRO 1- PARTE IV

- **Ecuaciones paramétricas y**
- **Vectores en el plano**

Autor-Editor:
© Gabriel Gustavo Aguilar Loa
Av. María Parado de Bellido-Santa Anita
Teléfono 977826184
Gabriel.libros@gmail.com
Lima-Perú

Primera edición, octubre 2020

Hecho el Depósito Legal en la Biblioteca Nacional del Perú con

número 2020-06787

ISBN: 978-612-00-5552-6

Se terminó de imprimir en octubre de 2020 en

Made in the USA-Columbia, SC

Razón social: Amazon Digital Services LLC

Dirección legal: Amazon Digital Services LLC

410 Terry Avenue North

Seattle, WA, 98109, United States

ISBN: 978-612-00-5552-6

Libro en tapa blanda, disponible en AMAZON:

https://www.amazon.com/

Facebook: Matemática superior pasito a pasito

A mi esposa Silvia y a mi hijo Piero, quienes aceptaron sacrificar muchas horas que les pertenecia, y les agradezco sobremanera por seguir mi sueño, quizás incomprendido.

A mi madre, Alejandrina Loa, mamá gallina, te extraño mucho alejita y sigo tu ejemplo.

A mi padre, Gabriel Aguilar, por sus consejos y su ejemplo de trabajo.

A mis hermanos, Benjie, Mila, Kelly y el incomprendido de Richie, gracias por su paciencia.

PRESENTACIÓN

Estimado lector, le presento este nuevo trabajo que tiene como título **LIBRO 1-Parte IV,** es el primer libro de la Colección DEL COLEGIO A LA UNIVERSIDAD II de **CÁLCULO VECTORIAL.**

El TOMO 1 está conformado por cuatro libros, denominados:

> ➢ LIBRO 1- Parte I
> ➢ LIBRO 1- Parte II
> ➢ LIBRO 1- Parte III
> ➢ LIBRO 1- Parte IV.

El **LIBRO 1- Parte IV** contiene las siguientes secciones:
1.7. Ecuaciones paramétricas y
2.1. Vectores en el plano.

Cada uno de ellos con sus respectivos NOTEBOOK I y II, siguiendo la estructura y metodología descrita a continuación.

1. Presentación del capítulo, el cual está conformado por secciones (rectángulos en color amarillo).

Cap. 1   Geometría analítica plana

1.7. Ecuaciones paramétricas

161. Introducción:

Amigo lector, la imagen muestra las escaleras de doble hélice del Vaticano. Diseñadas por Bramante en el siglo XVI, las actuales escaleras de salida de los museos vaticanos son el digno colofón a

2. Motivación y competencia del capítulo (con aplicaciones en la vida diaria).

MOTIVACIÓN Y COMPETENCIA

Geometría analítica plana

Amigo lector, sabemos que la geometría analítica relaciona números y formas, a partir de un sistema de coordenadas. La fuerza gravitacional que el Sol ejerce sobre el planeta depende únicamente de la distancia de éste al Sol y se describe mediante las coordenadas polares. Las trayectorias de los satélites se

3. Presentación de cada sección con una pequeña historia que nos lleve a las Ecuaciones paramétricas y luego a los Vectores en el plano.

161. Introducción:

Amigo lector, la imagen muestra las escaleras de doble hélice del Vaticano. Diseñadas por Bramante en el siglo XVI, las actuales escaleras de salida de los museos vaticanos son el digno colofón a una visita tan repleta de belleza. La doble hélice está inscrita en un tronco de cono, invertido y de base elíptica u ovalada. Desde el punto de vista constructivo son un prodigio

4. El MARCO TEÓRICO en detalle y los tópicos (temas diversos de la sección) son enumerados y lo llamamos **artículos,** que son desarrollados con la rigurosidad que la matemática exige. Por ejemplo, a continuación, vemos el artículo 162 que trata de la definición de curva plana.

162. Definición de curva plana:

Considerando una curva como la trayectoria de un punto que se mueve en el plano; las coordenadas x y y de dicho punto son entonces función del tiempo. Esta idea lleva a la siguiente definición: Si f y g son funciones continuas de t en un intervalo I, entonces a las ecuaciones $x = f(t)$ y $y = g(t)$ se les denomina ecuaciones

5. Los EJEMPLOS ILUSTRATIVOS que ejemplifican un teorema, una propiedad o ley. De esa forma estaremos seguros que se comprendió el marco teórico.

Ejemplo ilustrativo 32:

Gráfica de un vector. Represente un vector de 10 centímetros con un ángulo de inclinación de 45^0 respecto al semieje x positivo. Usando una regla medimos la longitud pedida y con un transportador señalamos el ángulo, tal como se muestra en la figura.

6. Los EJERCICIOS que refuerzan lo anterior, con un procedimiento muy detallado, con "manzanitas", con pasitos de bebé. Estimado lector, usted se formará desde el principio con este libro.

Todos los ejercicios, tienen un número que es correlativo hasta el último libro de la colección, un título (en color azul), el enunciado y el procedimiento con mucho detalle, es la forma de aprender, de entusiasmarse y seguir avanzando, a pesar del cansancio producto del trabajo y del estudio durante el día.

Ejercicio 109:

Cálculo de la ecuación de una recta. **Sea la posición** $(t^2 + 1, t^3 - 4t)$ de un punto, se pide determinar lo siguiente:
a) Una ecuación de la recta tangente en $t = 3$.
b) Los puntos en que la recta tangente sea horizontal.

Pasos:

1. Imagine una partícula que se desplaza describiendo una curva C en el plano (vea el primer gráfico de la figura 126). Se puede describir el movimiento de la partícula especificando las coordenadas como función del tiempo t, como $x = f(t)$ y $y = g(t)$.

Dicho de otro modo, en el instante t, la partícula se encuentra en el punto dado $c(t) = (f(t), g(t))$, donde $c(t)$ denota la parametrización del parámetro t. Para responder la pregunta a), usamos la ecuación del teorema 58 para calcular dy/dx, así:

$$x = t^2 + 1 \rightarrow \frac{dx}{dt} = 2t \quad y \quad y = t^3 - 4t \rightarrow \frac{dy}{dt} = 3t^2 - 4$$

$$\therefore \frac{dy}{dx} = \frac{y'(t)}{x'(t)} = \frac{\frac{dy}{dt}}{\frac{dx}{dt}} = \frac{3t^2 - 4}{2t}.$$

2. Luego, la pendiente de la recta tangente en $t = 3$, es:

$$m = \frac{dy}{dx} = \frac{3t^2 - 4}{2t}\bigg|_{t=3} \quad \rightarrow \frac{dy}{dx} = \frac{3(3)^2 - 4}{2(3)} \quad \therefore \frac{dy}{dx} = \frac{23}{6}.$$

7. Los TEOREMAS destacados en color azul (para distinguirlo rápidamente), enumerados con su nombre y con su respectiva demostración (artículo 172) pasito a pasito. El modelo matemático dispuesto en un cajón amarillo.

TEOREMA 59: La longitud de una curva definida en forma paramétrica. Si una curva suave C está dada por las ecuaciones paramétricas $x = f(t)$ y $y = g(t)$, y C no se corta a sí misma (se recorre sólo una vez) en el intervalo $a \leq t \leq b$ (excepto quizá en los puntos terminales), donde f' y g' son continuas y no simultáneamente iguales a cero (lo que evita que C tenga esquinas o picos) en $[a, b]$, entonces la longitud de arco L de C en ese intervalo, está dada por:

$$s = L = \int_{t=a}^{t=b} \sqrt{[f'(t)]^2 + [g'(t)]^2} \; dt = \int_{t=a}^{t=b} \sqrt{\left(\frac{dx}{dt}\right)^2 + \left(\frac{dy}{dt}\right)^2} \; dt.$$

172. Demostración: Imagine que la curva es un polígono, para hallar su longitud sólo debemos sumar las longitudes de los segmentos lineales. Con esta estrategia,

8. El diseño de los GRÁFICOS son muy, pero muy descriptivos y las TABLAS elaboradas, son originales, que nos permite organizar la información, para el aprendizaje y rápida comprensión de los problemas de la vida diaria.

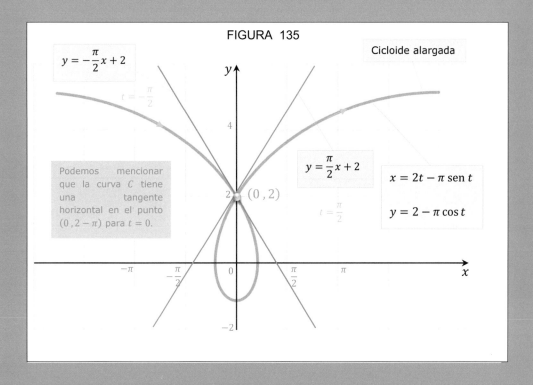

FIGURA 135

Cicloide alargada

$y = -\dfrac{\pi}{2}x + 2$

$t = -\dfrac{\pi}{2}$

Podemos mencionar que la curva C tiene una tangente horizontal en el punto $(0, 2 - \pi)$ para $t = 0$.

$y = \dfrac{\pi}{2}x + 2$

$x = 2t - \pi \operatorname{sen} t$

$y = 2 - \pi \cos t$

$(0, 2)$

$t = \dfrac{\pi}{2}$

TABLA 33

Aritmética	Procedimiento
Adición	$\mathbf{v} + \mathbf{u} = \langle v_1 + u_1, v_2 + u_2 \rangle$
Diferencia	$\mathbf{v} + (-\mathbf{u}) = \langle v_1 + (-u_1), v_2 + (-u_2) \rangle = \langle v_1 - u_1, v_2 - u_2 \rangle$
Multiplicación escalar	$k\mathbf{v} = \langle kv_1, kv_2 \rangle, k \in \mathbb{R}$
Igualdad	$\mathbf{v} = \mathbf{u} \to v_1 = u_1$ y $v_2 = u_2$

9. DEBES SABER QUE, son las notas que siempre debe leer.

DEBES SABER QUE:

Amigo lector, puede observar que en toda la demostración (artículo 172) se consideró la curva $y = f(x)$, ¿qué cambios se deberían hacer para expresarlo en su forma paramétrica? Primero definamos la curva como $x = f(t), y = g(t), a \leq t \leq b$. Segundo, el intervalo $[a, b]$ en n subintervalos de puntos t_k, $a = t_0 < t_1 < t_2 < \cdots < t_{n-1} < t_n = b$. Tercero, el teorema de valor medio aplicado dos veces para $t_k{}^*$ y $t_k{}^{**}$, como sigue:

$$[t_{k-1}, t_k]: \Delta x_k = f(t_k) - f(t_{k-1}) = f'^{(t_k{}^*)(t_k - t_{k-1})}.$$

10. Cada SECCIÓN del libro, contiene dos cuadernos de trabajo denominados **NOTEBOOKS I y II** de diferentes niveles. Contienen los EJERCICIOS Y PROBLEMAS DE APLICACIÓN **PROPUESTOS** sólo para triunfadores (porque usted será un triunfador cuando los resuelva y, se sentirá muy bien, super motivado, con ganas de seguir aprendiendo, ya lo verá).

NOTEBOOK I

NOTEBOOK II

11. Los **NOTEBOOKS** permiten una autoevaluación y práctica constante, en todo momento dirigido por el autor, a través de las indicaciones y sugerencias que encontrará en los ejercicios y Problemas de Aplicación Propuestos. El objetivo es que usted compruebe, interiorice y confirme los conocimientos adquiridos. ¡Disfrutará su aprendizaje! ¡Recuerde, al cerebro le gusta aprender con gozo y placer! Comprende dos partes: **Comunicación matemática** y luego, el **Modelamiento y resolución matemática**.

152.- Indique si el enunciado es verdadero o falso. Justifique.

Enunciado	V o F	Justifique
Si f y g son funciones continuas de t en un intervalo I, entonces a las ecuaciones dadas $x = f(t)$ y $y = g(t)$ se les denomina ecuaciones paramétricas y a t se le llama el parámetro.		Para justificar puede usar un ejemplo, contraejemplo, un gráfico, un esquema, un teorema, una fórmula, etc. que valide su respuesta.

La **Comunicación matemática** contiene preguntas teóricas en diversas modalidades: para marcar verdadero o falso, con su respectiva justificación; preguntas para responder en forma concisa; preguntas abiertas; crear un ejercicio según indicaciones; demostración de teoremas; a partir de un gráfico o datos reconstruir el enunciado y por último, se presenta el ejercicio y se le pide responder en forma verbal (solo texto) sin escribir alguna fórmula y sin desarrollarlo, permitiéndole manejar un lenguaje matemático (como aprender algún idioma extranjero).

Modelamiento y resolución matemática

172.- Aplicaciones físicas mediante ecuaciones paramétricas. La trayectoria de una bala hasta el instante que toca el suelo está dada por las ecuaciones paramétricas:

$$c(t) = (80t \,, 200t - 4\,, 9t^2)$$

con t expresado en segundos y la distancia en metros. Determine:
A) La altura de la bala en el instante $t = 5s$.
B) La altura máxima. Realice un bosquejo.

1) Tome como referencia el ejercicio 159.
2) Luego, tenga presente que la gráfica de la altura respecto al tiempo de un objeto que se lanza al aire es una parábola, pero una gráfica en el plano rectangular ambos en metros no es la gráfica de la altura respecto al tiempo, sino mostraría la trayectoria real de la bala, la cual presenta un desplazamiento vertical y uno horizontal.
3) A continuación, para responder la pregunta A), evaluamos en $c(5)$.
4) Finalmente, halle t en el punto crítico de la derivada de la segunda componente de $c(t)$, y sustituye en $c(t)$.

RTA. A) 878 m y B) 2 041 m

El **Modelamiento y resolución matemática**, contiene los ejercicios y problemas de aplicación propuestos, dirigidos en todo momento por el autor. Con un espacio suficiente para poder resolver. Cuando la página tiene el color amarillo, es porque solo tendrá que resolver sin realizar algún gráfico. En color plomo, sí realizará un gráfico, que le ayude a entender mucho mejor el tema a tratar. Generando confianza, ganas de seguir aprendiendo la "temida" matemática. Al final de cada NOTEBOOK tenemos la miscelánea, que son ejercicios que combinan diversos tópicos de la sección (requieren mayor dominio matemático, que le ¡explotará el cerebro!).

Recuerde: Siempre documente su aprendizaje.

La Colección de Cálculo vectorial consiste de 34 libros.

La **Colección DEL COLEGIO A LA UNIVERSIDAD II**, comprende los siguientes capítulos distribuidos de forma estratégica en 34 libros, bien desarrollados y fácil de aprender:

- ✓ Capítulo 1: Geometría analítica plana
- ✓ Capítulo 2: Geometría analítica vectorial bidimensional
- ✓ Capítulo 3: Geometría analítica vectorial tridimensional
- ✓ Capítulo 4: Funciones vectoriales de variable real
- ✓ Capítulo 5: Funciones de varias variables.
- ✓ Capítulo 6: Integrales múltiples
- ✓ Capítulo 7: Integración en campos vectoriales.

¿Por qué adquirir la Colección DEL COLEGIO A LA UNIVERSIDAD II?

Porque en cada página de los 34 libros, he creado una metodología que usted siempre imaginó, una forma de aprender matemática con sentido, es decir, que inicie a partir de una situación **concreta** (de una historia tomada de la vida real) y poco a poco aterrizar en lo **abstracto**. Tener presente lo importante y necesario saber de matemáticas y, llevarlo en diferente intensidad a sus respectivas especialidades. De otro lado, le aconsejo pensar siempre en forma positiva, cuando inicie un **emprendimiento** (como el mío) y tenga que empezar de cero (como lo hizo este servidor) asuma **riesgos controlados**, pero sea altamente **disciplinado y perseverante**, porque vencer los obstáculos nos permitirá crecer, y de esa manera ayudar a los demás. ¡Sí se puede! ¡Recuerde, usted es responsable de sus sueños!

Gabriel Loa

AMIGO ESTUDIANTE

Hola Luis, ¿entendiste la clase? Por qué yo, no. Solo vi muchas fórmulas y, ¡no entiendo para que sirven!

Hola Rosa, yo tampoco entendí. El profe no es didáctico, escribe y escribe, no le seguí. ¡Ya vienen los exámenes! ¿Qué hacemos?

¡Ya sé! Estudiaremos con el primer libro de la Colección de 34, llamado Libro 1-Parte IV, del autor peruano Gabriel Loa.

¡Sí! Es muy detallado y me da confianza, por fin, podemos aprender solos en casa. ¡Ya quiero empezar! ¡Sí se puede!

ESTIMADO DOCENTE

Estoy molesto, preparé mi clase y siento que los estudiantes no me siguen, ¡estoy desmotivado!

Desarrollé mi clase, hice preguntas, pero nadie respondía. Sabes qué, ¡no disfruto mi profesión!

¡Ahora recuerdo! Existe un libro con una metodología pasito a pasito, así los estudiantes vendrán a clase con la lección aprendida, lo cual nos ayudará en la enseñanza de la matemática.

Así es, es el Libro 1-Parte IV del autor Gabriel Loa.
Muy detallado y con aplicaciones en la vida cotidiana. Lo compraré y recomendaré.

LIBRO 1
PARTE IV

CONTENIDO

CAPÍTULO 1

Sección

GEOMETRÍA ANALÍTICA PLANA

1.1. Sistemas de coordenadas

2. Sistemas de coordenadas rectangulares.

3. Sistema coordenado lineal.

TEOREMA 1: Distancia entre dos puntos sobre un segmento de recta.

5. Sistema coordenado en el plano.

7. Notación del par ordenado.

10. Localización de pares ordenados.

TEOREMA 2: Distancia entre dos puntos dados en el plano bidimensional.

12. Coordenadas del punto medio de un segmento.

TEOREMA 3: División de un segmento en una razón dada.

Sección

1.2. Línea recta

16. Ángulo de inclinación de una recta.

17. Pendiente de una recta.

TEOREMA 4: Pendiente de una recta.

21. Tipos de pendiente.

22. Ecuaciones de la recta.

TEOREMA 5: Ecuación punto-pendiente.

TEOREMA 6: Ecuación pendiente-ordenada al origen.

TEOREMA 7: Ecuación de la recta con dos puntos.

28. Ecuación simétrica de la recta.

TEOREMA 8: Ecuación simétrica de la recta.

TEOREMA 9: Ecuación de una recta vertical y horizontal.

TEOREMA 10: Ecuación general de una recta.

TEOREMA 11: Ángulo entre dos rectas.

34. Rectas paralelas y perpendiculares.

39. Posiciones relativas de dos rectas coplanares.

40. Distancia de un punto a una recta dada.

42. Área de un triángulo.

TEOREMA 17: Ecuaciones de las bisectrices sobre dos rectas que se cortan.

48. Familia de líneas rectas en el plano.

53. Recta tangente y normal.

54. Posiciones relativas de puntos y rectas no verticales.

Sección

1.3. Ecuación de la circunferencia

59. Tipos de ecuaciones de la circunferencia.

TEOREMA 18: Ecuación en su forma estándar u ordinaria.

62. Ecuación de la circunferencia en su forma canónica.

64. Ecuación de la circunferencia en su forma general.

66. Determinación de una circunferencia sujeta a tres condiciones.

67. Familia de circunferencias.

TEOREMA 20: Ecuación de la familia de circunferencias.

70. Eje radical.

1.4. Transformación de coordenadas

73. Traslación de los ejes coordenados.

TEOREMA 21: Traslación de ejes.

75. Rotación de los ejes coordenados.

TEOREMA 22: Rotación de ejes.

TEOREMA 23: Traslación y rotación a la vez.

1.5. Secciones cónicas y Ecuación general de 2 grado

81. Parábola.

83. Ficha de elementos de la parábola.

84. Ecuaciones de la parábola.

TEOREMA 24: Ecuación estándar (canónica).

TEOREMA 26: Ecuación estándar de vértice (h,k) y eje paralelo al eje x.

87. Ecuación general de una parábola.

TEOREMA 29: Ecuación de la tangente a una parábola.

90. Elipse.

92. Ficha de elementos de la elipse.

93. Ecuaciones de la elipse.

TEOREMA 32: Ecuación de la elipse con centro en el origen y eje, el eje y.

96. Ecuación de la elipse de centro (h,k) y de eje focal paralelo al eje x.

TEOREMA 34: Ecuación de la elipse con centro (h,k) y eje focal paralelo al eje y.

Sección   **Sección**

TEOREMA 35: Ecuación general de la elipse.

100. Ecuación de la recta tangente a una elipse.

102. Hipérbola.

104. Ficha de elementos de la hipérbola.

105. Ecuaciones de la hipérbola.

TEOREMA 38: Ecuación de la hipérbola con centro en el origen y eje, el eje x.

109. Ecuación de la hipérbola de centro (h,k) y de eje focal paralelo al eje x.

113. Asíntotas de la hipérbola.

114. Ecuación general de la hipérbola.

116. Recta tangente a una hipérbola.

117. Ecuación general de segundo grado de dos variables.

118. Definición analítica de la cónica.

TEOREMA 44: Rotación de ejes para eliminar el término cruzado xy.

TEOREMA 45: Identificando las cónicas y cónicas degeneradas por el indicador (discriminante).

121. Invariante por rotación.

TEOREMA 46: Cónicas degeneradas.

123. Definición general de la cónica.

124. Definición foco-directriz de una cónica.

TEOREMA 48: Excentricidad de una cónica.

TEOREMA 49: Tangente a una cónica.

Sección

1.6. Sistema de coordenadas polares

134. Coordenadas polares.

135. Localización de puntos en coordenadas polares.

TEOREMA 50: Cambio de coordenadas polares a rectangulares y viceversa.

138. Trazado de curvas conocidas en coordenadas polares.

140. Ecuación de la recta en coordenadas polares.

143. Ecuación de la circunferencia en coordenadas polares.

146. Ecuación general de las cónicas en coordenadas polares.

148. Trazado de curvas especiales en coordenadas polares.

151. Trazado de curvas especiales en coordenadas polares con graficadora.

152. Cálculo en coordenadas polares.

TEOREMA 54: Pendiente en forma polar.

155. Área de una región polar.

157. Área de la región entre dos curvas polares.

158. Longitud de arco en forma polar.

TEOREMA 57: Área de una superficie de revolución en forma polar.

Sección

1.7. Ecuaciones paramétricas

162. Definición de curva plana.

163. Eliminación del parámetro.

166. Cálculo con curvas paramétricas.

167. Pendiente de la recta tangente.

169. Derivadas de orden superior-forma paramétrica.

170. Área.

TEOREMA 59: La longitud de una curva definida en forma paramétrica.

173. Longitud de una curva en forma explícita $y = f(x)$.

174. La diferencial de longitud de arco.

TEOREMA 60: Celeridad de una curva paramétrica.

177. Área de una superficie de revolución.

CAPÍTULO 2

GEOMETRÍA ANALÍTICA VECTORIAL BIDIMENSIONAL

Sección

2.1. Vectores en el plano

181. Elementos de un vector.

182. Segmentos dirigidos.

188. Vector de posición.

TEOREMA 62: Propiedades de las operaciones con vectores.

193. Magnitud (norma) y dirección de un vector.

TEOREMA 63: Vector unitario en la dirección de un vector **a**.

196. Vectores unitarios, canónicos o base estándar.

197. Determinación de los componentes de un vector.

198. Posiciones relativas y propiedades de los vectores.

202. Modelamiento vectorial aplicado en física.

Notebook I

Notebook II

CAPÍTULO

1

Geometría analítica plana

PREVIO AL CÁLCULO DE VARIAS VARIABLES

CONTENIDO:

1.1. Sistemas de coordenadas

1.2. Línea recta

1.3. Ecuación de la circunferencia

1.4. Transformación de coordenadas

1.5. Secciones cónicas. Ecuación general de segundo grado de dos variables

1.6. Sistema de coordenadas polares

1.7. Ecuaciones paramétricas

LIBRO 1

Parte IV

1.7. Ecuaciones paramétricas

2.1. Vectores en el plano

Gabriel Loa

MOTIVACIÓN Y COMPETENCIA

Geometría analítica plana

Amigo lector, sabemos que la geometría analítica relaciona números y formas, a partir de un sistema de coordenadas. La fuerza gravitacional que el Sol ejerce sobre el planeta depende únicamente de la distancia de éste al Sol y se describe mediante las coordenadas polares. Las trayectorias de los satélites se pueden describir como gráficas polares, las cuales pueden cruzarse sin causar colisiones.

La segunda imagen muestra cómo se puede preparar los alimentos en una cocina solar de forma parabólica, que permite concentrar los haces del sol reflejado sobre su superficie en un punto, que es suficiente para hacer hervir agua y cocinar.

Finalmente, la última imagen muestra las curvas de Bézier (en homenaje al francés Pierre Bézier, 1910-1999), las cuales son curvas paramétricas que se utilizan ampliamente en el campo de la computación gráfica: CAD, Adobe illustrator y Corel draw, etc. y las utilizó para crear los diseños icónicos de los automóviles Peugeot y Renault.

Competencia

Al término de este capítulo, el estudiante será capaz de plantear, interpretar y resolver algoritmos, desarrollar estrategias heurísticas, elaborar modelos matemáticos, utilizando para ello los conceptos y fundamentos de Ecuaciones paramétricas de forma ordenada y rigurosa en problemas que les permitirá tomar decisiones, mostrando capacidad de trabajo en equipo, perseverancia y confianza al desarrollar situaciones problemáticas de contexto real.

Contenido general

1.7. Ecuaciones paramétricas.
162. Definición de curva plana.
163. Eliminación del parámetro.
166. Cálculo con curvas paramétricas.
167. Pendiente de la recta tangente.
169. Derivadas de orden superior-forma paramétrica.
170. Área.
TEOREMA 59: La longitud de una curva definida en forma paramétrica.
173. Longitud de una curva en forma explícita dado por $y = f(x)$.
174. La diferencial de longitud de arco.
TEOREMA 60: Celeridad de una curva paramétrica.
177. Área de una superficie de revolución.

1.7. Ecuaciones paramétricas

161. Introducción:

Amigo lector, la imagen muestra las escaleras de doble hélice del Vaticano. Diseñadas por Bramante en el siglo XVI, las actuales escaleras de salida de los museos vaticanos son el digno colofón a una visita tan repleta de belleza. La doble hélice está inscrita en un tronco de cono, invertido y de base elíptica u ovalada. Desde el punto de vista constructivo es un prodigio técnico: obsérvese el gran voladizo, las escaleras realmente flotan. Hace años las escaleras se usaban tanto para entrar como para salir, y la mayor aglomeración de gente mantenía saturadas las dos escaleras, convirtiéndose en un trampantojo (ilusión óptica o trampa), no se sabía porque no se chocaban los que

subían y los que bajaban hasta analizar la construcción. Este tipo de estructuras tiene un fundamento matemático muy importante, surge del estudio de superficies mínimas y está definido por un conjunto de ecuaciones paramétricas, como lo veremos más adelante. En esta sección estudiaremos una nueva forma (primero fue coordenadas rectangulares, luego las coordenadas polares) de definir curvas en el plano. Ahora consideraremos un modo más general para representar a una curva como una trayectoria de una partícula (referido a un objeto en movimiento, sin tener en cuenta su estructura interna) cuya posición cambia con el tiempo (siempre vimos una curva como la gráfica de una función o de una ecuación que incluyen a las dos variables x y y), de tal manera, que cada una de las coordenadas x y y que indica su posición, se convierte en una función de una tercera variable t que generalmente se asume que es el tiempo. Por último, las ecuaciones paramétricas son fundamentales para **funciones vectoriales** y otros capítulos del libro, y nos permiten describir el movimiento de los planetas y satélites, o los proyectiles que se mueven en el plano o en el espacio, etc.

162. Definición de curva plana:

Considerando una curva como la trayectoria de un punto que se mueve en el plano; las coordenadas x y y de dicho punto son entonces función del tiempo. Esta idea lleva a la siguiente definición: Si f y g son funciones continuas de t en un intervalo I, entonces a las ecuaciones $x = f(t)$ y $y = g(t)$ se les denomina ecuaciones paramétricas y a t se le llama el parámetro (o argumento escalar). Al conjunto de puntos $(x, y) = (f(t), g(t))$ que se obtiene cuando t varía sobre I se le denomina curva plana C. Siendo la curva plana C o curva paramétrica, la unión de la gráfica y las ecuaciones paramétricas (estas ecuaciones representan un método más general para describir cualquier curva). Es una práctica común referirse al conjunto de ecuaciones $x = f(t)$ y $y = g(t)$ para $t \in$ I, como una parametrización de C. Por ello, consideraremos dos aspectos: una curva plana C como una curva paramétrica o una curva parametrizada y, una curva paramétrica y la gráfica de una curva como si fuesen lo mismo. La figura 126, muestra la curva o trayectoria trazada por una partícula que se mueve en el plano xy y no siempre representa la gráfica de una función o de una ecuación y además algunos tipos de curvas planas. La parametrización contiene más información que sólo la forma de la curva, también indica cómo se traza la curva.

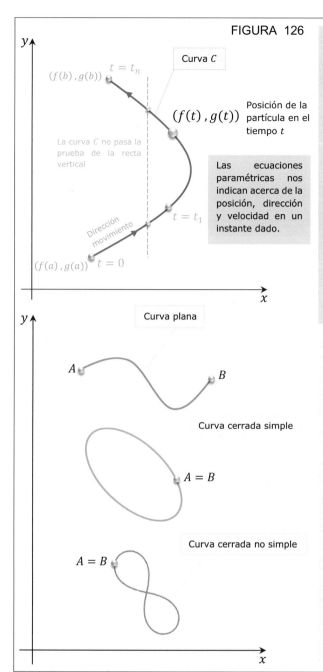

FIGURA 126

Curva C

$(f(b),g(b))$ $t = t_n$

$(f(t),g(t))$ Posición de la partícula en el tiempo t

La curva C no pasa la prueba de la recta vertical

Las ecuaciones paramétricas nos indican acerca de la posición, dirección y velocidad en un instante dado.

Dirección movimiento

$t = t_1$

$(f(a),g(a))$ $t = 0$

Curva plana

A

B

Curva cerrada simple

$A = B$

Curva cerrada no simple

$A = B$

La figura muestra la trayectoria de una partícula que se mueve en el plano xy. Observe que la trayectoria no pasa la prueba de la recta vertical, de manera que no se puede describir como la gráfica de una función (no lo es) de una variable x. Sin embargo, algunas veces la trayectoria se describe con un par de ecuaciones $x = f(t)$ y $y = g(t)$, donde f y g son funciones continuas. Por lo que dichas ecuaciones describen curvas más generales que las ecuaciones $y = f(x)$, y además de la gráfica de la trayectoria recorrida, indican la **posición** de $(x,y) = (f(t),g(t))$ de la partícula en cualquier tiempo t. La variable t es un parámetro de la curva C y su dominio I es el intervalo del parámetro. Cabe mencionar que una **función vectorial** (se estudiará en el capítulo 4 y 7) tiene como componentes a las ecuaciones paramétricas, dadas por: $\mathbf{r}(t) = x(t)\,\mathbf{i} + y(t)\,\mathbf{j} = f(t)\,\mathbf{i} + g(t)\,\mathbf{j} = \langle f(t), g(t)\rangle$.

Si I es un intervalo cerrado, $a \leq t \leq b$, el punto $(f(a),g(a))$ es el punto inicial de la curva y $(f(b),g(b))$ es el punto final. Cuando el punto inicial y final es el mismo esto es $A = B$, entonces C es una curva cerrada. Si C es cerrada pero no se cruza a sí misma, entonces se denomina curva cerrada simple. Una curva C representada por $x = f(t)$ y $y = g(t)$ en un intervalo I, es suave (lisa), si las derivadas de f y g son continuas en I y no son simultáneamente cero, excepto posiblemente en los puntos terminales de I, son curvas que no presentan cortes, esquinas o picos. Luego, la curva suave por tramos (secciones) cuya definición indica: si un intervalo I puede partirse en un número finito de subintervalos en los que la curva C es suave, entonces afirmamos que C es lisa en partes o secciones en I. Sean el número finito de curvas suaves $C_1, C_2, \cdots C_n$ unidas extremo con extremo, se cumple: $C = C_1 \cup C_2 \cup \cdots \cup C_n$. Más información en el artículo 450 y la sección de integrales de línea.

Ejercicio 103:

Gráfica de ecuaciones paramétricas. Trace la curva definida por las ecuaciones paramétricas, $x = t^2 - 3t$ y $y = t - 1$.

Pasos:

1. Asignamos valores a $t \in \mathbb{R}$, porque cada valor de t, nos permite obtener un punto sobre la curva. Por ejemplo, si $t = 0$, entonces $x = 0$ y $y = -1$, de modo que el punto correspondiente es $(0, -1)$. La tabla 31 muestra la lista de valores de t y la figura 127 tres gráficos en tres escenarios diferentes: a) En una dirección, b) en dirección opuesta y c) al doble del tiempo.

TABLA 31

t	-2	-1	0	1	2	3	4	5
$x = t^2 - 3t$	10	4	0	-2	-2	0	4	10
$y = t - 1$	-3	-2	-1	0	1	2	3	4
Puntos (x, y)	$(10, -3)$	$(4, -2)$	$(0, -1)$	$(-2, 0)$	$(-2, 1)$	$(0, 2)$	$(4, 3)$	$(10, 4)$

FIGURA 127

Cuando se dibuja a mano una curva dada por un conjunto de ecuaciones paramétricas, se trazan puntos en el plano xy. Cada conjunto de coordenadas (x, y) está determinado por un valor elegido para el parámetro t. Al trazar los puntos resultantes de valores crecientes de t, la curva se va trazando en una dirección específica, a esto se le denomina **orientación** de la curva.

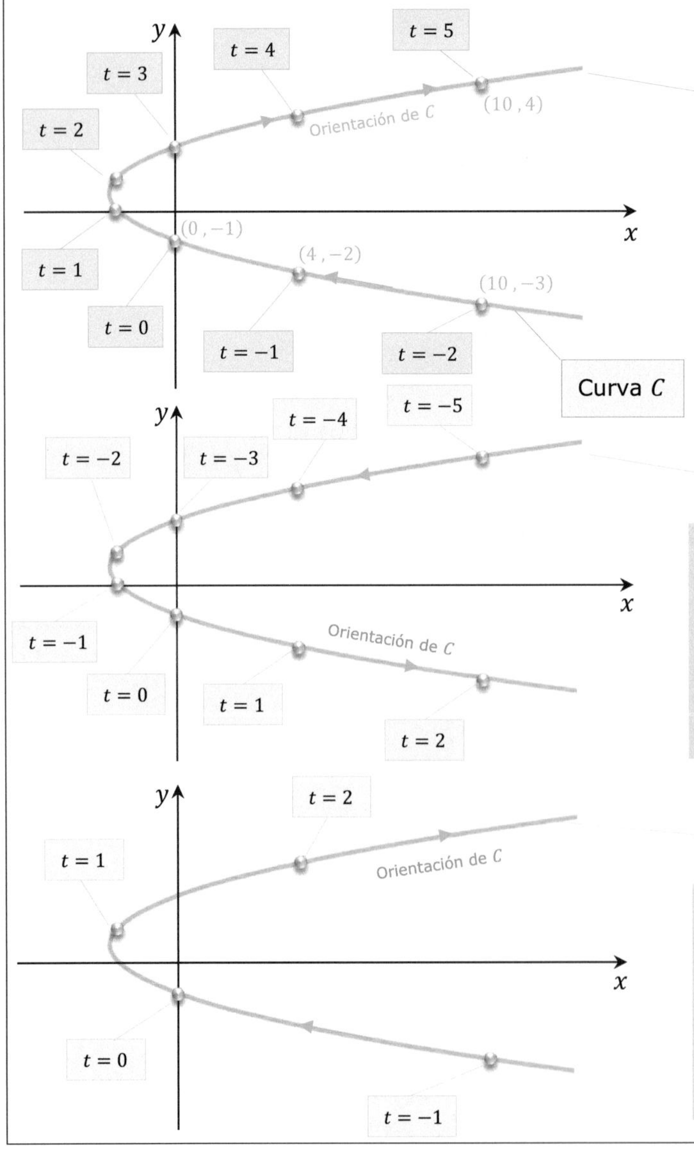

$x = t^2 - 3t$
$y = t - 1$

Cuando t aumenta, una partícula cuya posición está dada por las ecuaciones paramétricas se mueve a lo largo de la curva en la dirección de las flechas.

Curva C

$x = t^2 + 3t$
$y = -t - 1$

Cuando t se sustituye por $-t$ obtenemos las ecuaciones paramétricas:
$x = t^2 + 3t$ y $y = -t - 1$.
La gráfica de estas ecuaciones paramétricas es la misma que la curva anterior, pero trazada en la dirección opuesta.

$x = 4t^2 - 6t$
$y = 2t - 1$

Por último, cuando sustituimos t por $2t$ obtenemos las ecuaciones paramétricas:
$x = 4t^2 - 6t$ y $y = 2t - 1$.
La gráfica de estas ecuaciones paramétricas es otra vez la misma, pero está trazada "el doble de rápido".

2. Finalmente, el trazo de la curva se muestra en la figura 127.

163. Eliminación del parámetro: Según el tipo de ejercicio, podemos encontrar una curva dada por ecuaciones paramétricas, dichas ecuaciones podemos convertirla en una <u>ecuación rectangular</u> en x y y. El proceso de hallar esta ecuación se denomina eliminación del parámetro. Una forma es, despejar t de una ecuación y luego sustituirla en la otra.

Ejercicio 104:

Gráfica de ecuaciones paramétricas. Trace la curva dada por las ecuaciones paramétricas indicadas, $x = 1/\sqrt{t+1}$ y $y = t/(t+1)$, $t > -1$, eliminando el parámetro y ajustando el dominio de la ecuación rectangular resultante.

Pasos:

1. Se sigue la secuencia establecida por el esquema:

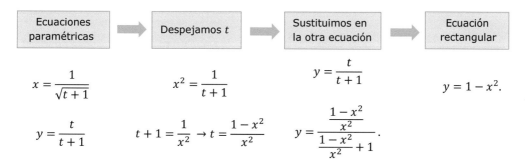

Ecuaciones paramétricas	Despejamos t	Sustituimos en la otra ecuación	Ecuación rectangular

$$x = \frac{1}{\sqrt{t+1}} \qquad x^2 = \frac{1}{t+1} \qquad y = \frac{t}{t+1} \qquad y = 1 - x^2.$$

$$y = \frac{t}{t+1} \qquad t + 1 = \frac{1}{x^2} \to t = \frac{1-x^2}{x^2} \qquad y = \frac{\dfrac{1-x^2}{x^2}}{\dfrac{1-x^2}{x^2}+1}.$$

2. Luego, una vez eliminado el parámetro, vemos que la ecuación rectangular $y = 1 - x^2$ representa una parábola con eje focal vertical y vértice $(0, 1)$, como se muestra la figura 128. Cabe mencionar que la extensión de x y y implicado por las ecuaciones paramétricas puede alterarse al pasar a la forma rectangular. En estos casos, el dominio de la ecuación rectangular deberá ajustarse de manera que su gráfica coincida con la gráfica de las ecuaciones paramétricas.

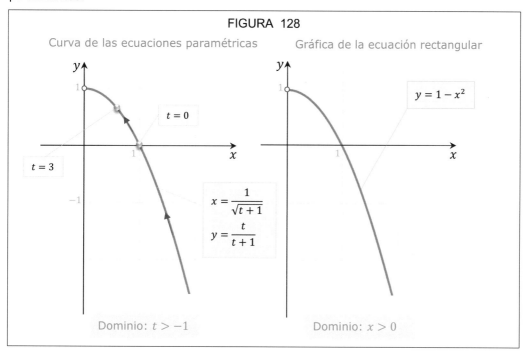

FIGURA 128

3. Finalmente, la ecuación rectangular $y = 1 - x^2$ está definida para todos los valores de x. Sin embargo, en la ecuación paramétrica para x se observa que la curva sólo está definida para $t > -1$. Esto implica que el dominio de x debe restringirse a valores positivos como se aprecia en la figura 128.

DEBES SABER QUE:
Amigo lector, el eliminar el parámetro nos permite trazar la gráfica de la curva. Por ejemplo, si las ecuaciones paramétricas representan la trayectoria de un objeto en movimiento, la gráfica sola no es suficiente para describir su movimiento. Se requieren estas ecuaciones que brinden información acerca de la posición, dirección y velocidad, en un instante determinado de la trayectoria del objeto. Otro aspecto a tomar en cuenta, es distinguir entre una **gráfica y una curva**. El primero hace referencia a un conjunto de puntos y la segunda, a los puntos junto con las ecuaciones paramétricas que los definen (observe la figura 128).

Ejercicio 105:
Modelado del movimiento circular. Describe y grafique la trayectoria del objeto si se conocen las ecuaciones paramétricas que modelan la posición de dicho objeto en movimiento en el tiempo t (en minutos):
$$x = a \cos t \ \text{y} \ y = a \operatorname{sen} t, \quad t \geq 0.$$

Pasos:
1. Para identificar la curva debemos eliminar el parámetro, para ello, elevamos al cuadrado ambos miembros y sumamos las ecuaciones paramétricas $x = a \cos t$ y $y = a \operatorname{sen} t$, para todo punto (x, y) en la curva, así:

$$x^2 + y^2 = (a \cos t)^2 + (a \operatorname{sen} t)^2 = a^2 \qquad \therefore x^2 + y^2 = a^2.$$

La interpretación de la ecuación $x^2 + y^2 = a^2$, representa la gráfica de una circunferencia de radio a y centro en el origen, en la cual todos los puntos de la curva satisfacen dicha ecuación.

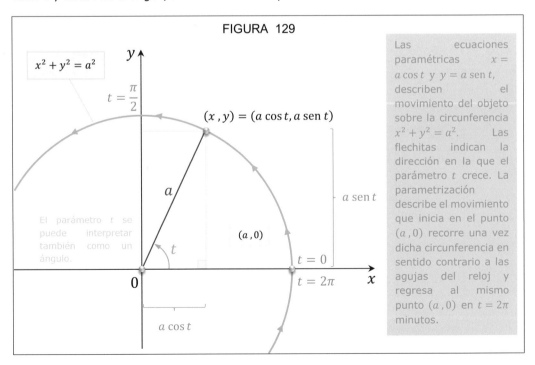

FIGURA 129

$x^2 + y^2 = a^2$

$t = \dfrac{\pi}{2}$

$(x, y) = (a \cos t, a \operatorname{sen} t)$

a

$a \operatorname{sen} t$

El parámetro t se puede interpretar también como un ángulo.

$(a, 0)$

t

$t = 0$
$t = 2\pi$

$a \cos t$

Las ecuaciones paramétricas $x = a \cos t$ y $y = a \operatorname{sen} t$, describen el movimiento del objeto sobre la circunferencia $x^2 + y^2 = a^2$. Las flechitas indican la dirección en la que el parámetro t crece. La parametrización describe el movimiento que inicia en el punto $(a, 0)$ recorre una vez dicha circunferencia en sentido contrario a las agujas del reloj y regresa al mismo punto $(a, 0)$ en $t = 2\pi$ minutos.

2. La figura 129 muestra el análisis de la trayectoria del objeto. Vemos que cuando t aumenta de 0 a 2π, el punto dado por las ecuaciones paramétricas arranca en el punto $(a, 0)$ y se mueve en sentido contrario a las manecillas del reloj alrededor de la circunferencia. Por lo que el objeto completa una revolución alrededor de la circunferencia en 2π minutos.

3. Finalmente, la descripción y el gráfico de la trayectoria del objeto se desarrollan en los pasos 1 y 2.

164. Determinación de ecuaciones paramétricas: En los dos ejercicios precedentes usted aprendió a graficar un conjunto de ecuaciones paramétricas, ahora, en sentido contrario, deberá hallar las ecuaciones paramétricas de una curva, a partir de algunas condiciones, como las propiedades geométricas de dicha curva o alguna descripción física dada.

Ejercicio 106:
Determinación de ecuaciones paramétricas. Halle un conjunto de ecuaciones paramétricas para representar la gráfica de $y = 1 - x^2$, de acuerdo a las siguientes condiciones:
A) Si el parámetro es la pendiente de la recta denotada como $m = dy/dx$ en el punto (x, y).
B) Cuando el parámetro $t = x$.

Pasos:
1. Para el caso A), debemos expresar x y y en términos del parámetro m, para eso, derivamos:

$$y = 1 - x^2 \rightarrow \frac{dy}{dx} = -2x = m \quad \therefore x = -\frac{m}{2}.$$

Tengamos presente: La gráfica de una función $y = f(x)$ siempre se puede parametrizar de manera sencilla, haciendo que $x = t$ y $y = f(t)$. Si $y = x^2 \rightarrow x = t, y = t^2$. Siendo la parametrización: $\mathbf{c}(t) = \langle t, t^2 \rangle$.

2. Hemos obtenido una ecuación paramétrica para x en función de m. Ahora nos falta conseguir una ecuación paramétrica para y, por ello, sustituimos $x = -m/2$ en $y = 1 - x^2$:

$$y = 1 - x^2 \rightarrow y = 1 - \left(-\frac{m}{2}\right)^2 \quad \therefore y = 1 - \frac{m^2}{4}.$$

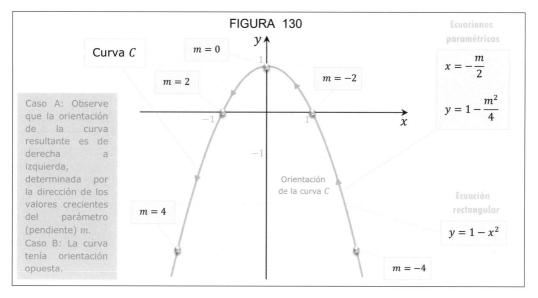
FIGURA 130

3. Finalmente, para el caso A) las ecuaciones paramétricas son $x = -m/2$ y $y = 1 - m^2/4$, y para el caso B), son $x = t$ y $y = 1 - t^2$. La figura 130 muestra los resultados.

Ejercicio 107:

Ecuaciones paramétricas de la cicloide. Halle las ecuaciones paramétricas para la cicloide.

Pasos:

1. Sea P un punto cuya posición sea fija con respecto a una curva C, si C rueda sin resbalar, sobre una curva fija C_1, el lugar geométrico descrito por P se conoce como ruleta. Un caso importante de ruleta es la curva denominada cicloide. Una cicloide es el lugar geométrico descrito por cualquier punto fijo de una circunferencia que rueda sin resbalar sobre una recta fija. Par obtener las ecuaciones paramétricas tomaremos como recta fija, el eje x y como punto móvil, el origen. Sea $P(x,y)$ un punto cualquiera del lugar geométrico, el radio a y C la circunferencia que rueda, como se indica en la figura 131.

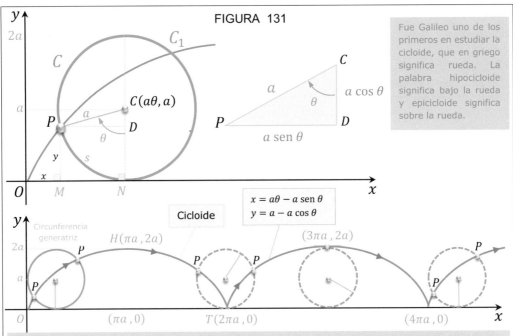

FIGURA 131

Fue Galileo uno de los primeros en estudiar la cicloide, que en griego significa rueda. La palabra hipocicloide significa bajo la rueda y epicicloide significa sobre la rueda.

Cicloide

$$x = a\theta - a \operatorname{sen} \theta$$
$$y = a - a \cos \theta$$

Cuando la circunferencia rueda a lo largo de una recta (eje x), la curva trazada por un punto fijo P en la circunferencia del círculo (puntos de color celeste) se denomina cicloide. La distancia $d(O, N)$ que la circunferencia ha rotado debe ser la misma que la longitud del arco PN, y por la fórmula de la longitud de un arco es $a\theta$. Por tanto, el centro de la circunferencia es $C(a\theta, a)$. El punto medio H se denomina vértice del arco de la cicloide. La porción OT de la recta fija (eje x) comprendida entre los puntos extremos de un arco se llama base del arco, su longitud es $2\pi a$, que es la longitud de la circunferencia generatriz. Los extremos de un arco como O y T son los picos o cúspides, que para valores $x = 2n\pi a$, las derivadas de x y y son cero.

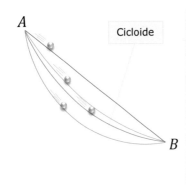

Cicloide

La cicloide tiene varias propiedades físicas, se le considera como la "curva de descenso más rápido". En la imagen se tiene 4 trayectorias cada una de ellas con un objeto, todas parten del punto A (parte más alta) al mismo tiempo y por influencia de la gravedad (despreciando la fricción) se desplazan hacia abajo, hasta el punto B. ¿Qué ocurre? El objeto que se desliza con más rapidez de A a B será aquel donde la forma de la trayectoria sea la mitad de un arco de una cicloide invertida, propiedad conocida como **braquistócrona** (tiempo mínimo). También se le conoce a la cicloide como la "curva de igual descenso" es decir, sin importar donde se coloque el objeto sobre la trayectoria de forma de una cicloide, tardará el mismo tiempo en deslizarse al fondo, propiedad conocida como **tautócrona** (mismo tiempo).

2. Luego, consideremos como parámetro el ángulo θ que gira la circunferencia al rodar partiendo de su posición inicial en el origen O. Sean M y N los pies de las perpendiculares bajadas de P y C al eje x, respectivamente. Tracemos $\overrightarrow{PD}$ perpendicular a $\overrightarrow{CN}$. Además, como la circunferencia rueda sin resbalar, desde O hasta N, podemos escribir, $|\overrightarrow{ON}| = $ arco PN.

3. A continuación, sabiendo que si θ es un ángulo central que intercepta un arco de longitud s sobre un círculo de radio $r = a$, la medida del ángulo θ, en radianes, está definida como sigue $\theta = s/r \to s = r\theta$, por tanto, se cumple que el arco $PN = a\theta$. De la figura 131 podemos establecer las siguientes relaciones:

$$x = |\overrightarrow{OM}| = |\overrightarrow{ON}| - |\overrightarrow{MN}| \to x = a\theta - |\overrightarrow{PD}| \quad \therefore x = a\theta - a \operatorname{sen} \theta$$

$$y = |\overrightarrow{MP}| = |\overrightarrow{ND}| = |\overrightarrow{NC}| - |\overrightarrow{DC}| \qquad \therefore y = a - a\cos\theta.$$

4. Finalmente, las ecuaciones paramétricas de la cicloide están dadas en función del radio a, y son, $x = a\theta - a \operatorname{sen} \theta$ y $y = a - a\cos\theta$.

165. Graficando con GeoGebra: Continuamos aprendiendo el uso del software conocido como GeoGebra, esta vez en curvas complicadas definidas por ecuaciones paramétricas.

Ejercicio 108:

Graficación con GeoGebra. Trace la curva representada por el siguiente conjunto de ecuaciones paramétricas, empleando un dispositivo de graficación.
A) $x = a\theta - a \operatorname{sen} \theta$ y $y = a - a\cos\theta, a = 1$.
B) $x = 3 \operatorname{sen} 5t$ y $y = 5 \cos 3t$.
C) $x = \operatorname{sen}(\cos t)$ y $y = \cos\left(t^{3/2}\right)$.
D) $x = t + 2 \operatorname{sen} 2t$ y $y = t + 2\cos 5t$.
E) $x = \operatorname{sen}(t + \operatorname{sen} t)$ y $y = \cos(t + \cos t)$.

Pasos:
1. En el caso A), se trata de una cicloide. La sintaxis es similar a las coordenadas polares. Cambie $\theta = t$ y $a = 1$, y en la barra de entrada se escribe: f(t)=t-sen(t) enter, g(t)=1-cos(t), enter. A continuación, escribimos la palabra **curva** y seleccionamos la opción:

Curva (<Expresión>, <Expresión>, <Parámetro>, <Valor inicial>, <Valor final>)

En la primera **Expresión** se escribe $f(t)$, en la segunda $g(t)$, el parámetro es t, el valor inicial podemos considerar el número 0 (dependerá de la complejidad de la curva) y valor final 2π o 2pi, (dependerá de las características de la curva). Una vez que la información se encuentre en pantalla, deberá ocultar (no borrar) las expresiones denotadas como $f(t)$ y $g(t)$, que aparecerán en **Vista algebraica**.

2. Luego, las ecuaciones paramétricas de las curvas B $-$ E, presentan el parámetro t. En todo caso, cualquier parámetro diferente, se debe cambiarse por t, como en A.

3. Finalmente, los gráficos de las ecuaciones paramétricas dadas, se presentan en la figura 132. De acuerdo al intervalo del parámetro t que usted considere en la barra de entrada, la curva puede variar con respecto a la figura 132. Como mencionamos anteriormente, puede considerar t de 0 a 2pi, y a partir de esto, puede cambiar.

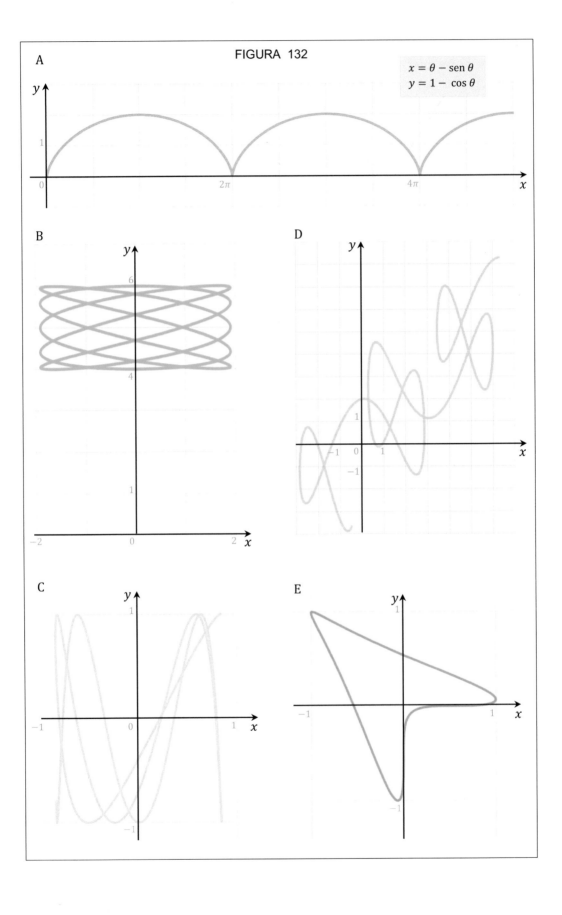

FIGURA 132

A

$x = \theta - \operatorname{sen} \theta$
$y = 1 - \cos \theta$

B

D

C

E

166. Cálculo con curvas paramétricas:
Con la experiencia obtenida en esta sección, estamos listos para estudiar los métodos de cálculo aplicados en las curvas paramétricas, como tangentes a una curva paramétrica, áreas bajo la curva paramétrica, la longitud de arco de curvas paramétricas, entre otros objetos de estudio.

167. Pendiente de la recta tangente: Amigo lector, si consideramos a f y g como funciones derivables podemos encontrar la pendiente de la recta tangente en un punto sobre la curva donde y también es una función de x. Veamos el teorema: forma paramétrica de la derivada.

TEOREMA 58: Tangente. Si una curva suave C está dada por las ecuaciones paramétricas $x = f(t)$ y $y = g(t)$, entonces la pendiente m de C en el punto (x, y) se escribe como:

Regla de la cadena

$$\frac{dy}{dt} = \frac{dy}{dx}\frac{dx}{dt}$$

$$m = \frac{dy}{dx} = \frac{y'(t)}{x'(t)} = \frac{\frac{dy}{dt}}{\frac{dx}{dt}}, \qquad \frac{dx}{dt} \neq 0.$$

Tangente horizontal:
$$\frac{dy}{dt} = 0, \quad \left(\frac{dx}{dt} \neq 0\right)$$

Tangente vertical:
$$\frac{dx}{dt} = 0, \quad \left(\frac{dy}{dt} \neq 0\right)$$

168. Demostración: La figura 133 muestra una curva C y la recta secante que pasa por los puntos $P(f(t), g(t))$ y $Q(f(t + \Delta t), g(t + \Delta t))$ cuya pendiente está dada por $\Delta y / \Delta x$.

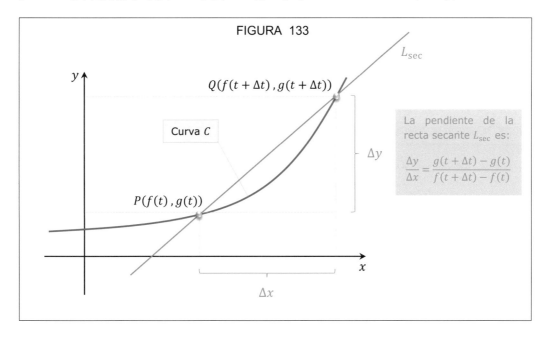

FIGURA 133

L_{sec}

$Q(f(t + \Delta t), g(t + \Delta t))$

Curva C

La pendiente de la recta secante L_{sec} es:

$$\frac{\Delta y}{\Delta x} = \frac{g(t + \Delta t) - g(t)}{f(t + \Delta t) - f(t)}$$

Δy

$P(f(t), g(t))$

Δx

El cambio en el eje vertical, Δy, está dado por: $\Delta y = g(t + \Delta t) - g(t)$, y el cambio en el eje horizontal, Δx, es: $\Delta x = f(t + \Delta t) - f(t)$, $\Delta t > 0$. Considerando que los cambios tienden a cero, $\Delta x \to 0$ y $\Delta y \to 0$, podemos escribir:

$$\frac{dy}{dx} = \lim_{\Delta x \to 0} \frac{\Delta y}{\Delta x} \qquad \to \qquad \frac{dy}{dx} = \lim_{\Delta x \to 0} \frac{g(t + \Delta t) - g(t)}{f(t + \Delta t) - f(t)}.$$

A continuación, dividimos el numerador y denominador por Δt, obteniendo:

$$\frac{dy}{dx} = \lim_{\Delta x \to 0} \frac{\dfrac{g(t + \Delta t) - g(t)}{\Delta t}}{\dfrac{f(t + \Delta t) - f(t)}{\Delta t}}$$

Aplicando la propiedad de límites y considerando la derivabilidad (diferenciabilidad) de f y g concluimos que:

$$\frac{dy}{dx} = \frac{\displaystyle\lim_{\Delta t \to 0} \frac{g(t + \Delta t) - g(t)}{\Delta t}}{\displaystyle\lim_{\Delta t \to 0} \frac{f(t + \Delta t) - f(t)}{\Delta t}} = \frac{g'(t)}{f'(t)} = \frac{\dfrac{dy}{dt}}{\dfrac{dx}{dt}}.$$

Ejercicio 109:

Cálculo de la ecuación de una recta. Sea la posición $(t^2 + 1, t^3 - 4t)$ de un punto, se pide:
a) Una ecuación de la recta tangente en $t = 3$.
b) Los puntos en que la recta tangente sea horizontal.

Pasos:
1. Imagine una partícula que se desplaza describiendo una curva C en el plano (vea el primer gráfico de la figura 126). Se puede describir el movimiento de la partícula especificando las coordenadas como función del tiempo t, como $x = f(t)$ y $y = g(t)$. Dicho de otro modo, en el instante t, la partícula se encuentra en el punto $c(t) = (f(t), g(t))$, donde $c(t)$ denota la parametrización del parámetro t. Para responder la pregunta a), usamos la ecuación del teorema 58 para calcular dy/dx, así:

$$x = t^2 + 1 \;\rightarrow\; \frac{dx}{dt} = 2t \;\; \text{y} \;\; y = t^3 - 4t \;\;\rightarrow\; \frac{dy}{dt} = 3t^2 - 4 \quad \therefore \frac{dy}{dx} = \frac{y'(t)}{x'(t)} = \frac{\dfrac{dy}{dt}}{\dfrac{dx}{dt}} = \frac{3t^2 - 4}{2t}.$$

2. Luego, la pendiente de la recta tangente en $t = 3$, es:

$$m = \frac{dy}{dx} = \left. \frac{3t^2 - 4}{2t} \right|_{t=3} \;\rightarrow\; \frac{dy}{dx} = \frac{3(3)^2 - 4}{2(3)} \quad \therefore \frac{dy}{dx} = \frac{23}{6}.$$

Considerando como punto de paso, $c(3) = \left(3^2 + 1, 3^3 - 4(3)\right) = (10, 15) = (x_1, y_1)$, la ecuación de la recta tangente en la forma punto-pendiente (teorema 5) con $m = 23/6$, está dada por:

$$y - y_1 = m(x - x_1) \rightarrow y - 15 = \frac{23}{6}(x - 10) \quad \therefore y = \frac{23}{6}x - \frac{70}{3}.$$

3. Caso b), según el teorema 58 la pendiente $dy/dx = 0$, para ello, $y'(t) = 0$ y $x'(t) \neq 0$, así:

Tangente
horizontal
$$y'(t) = \frac{dy}{dt} = 3t^2 - 4 = 0 \;\;\rightarrow\; t = \pm\frac{2}{\sqrt{3}}, \;\; x'(t) = \frac{dx}{dt} = 2t \neq 0 \;\;\rightarrow\; t \neq 0.$$

Por tanto, la recta tangente es horizontal en los puntos:

$$c\left(-\frac{2}{\sqrt{3}}\right) = \left(\frac{7}{3}, \frac{16}{3\sqrt{3}}\right) \quad \text{y} \quad c\left(\frac{2}{\sqrt{3}}\right) = \left(\frac{7}{3}, -\frac{16}{3\sqrt{3}}\right).$$

4. Finalmente, la figura 134 muestra la curva C y las rectas tangentes horizontales.

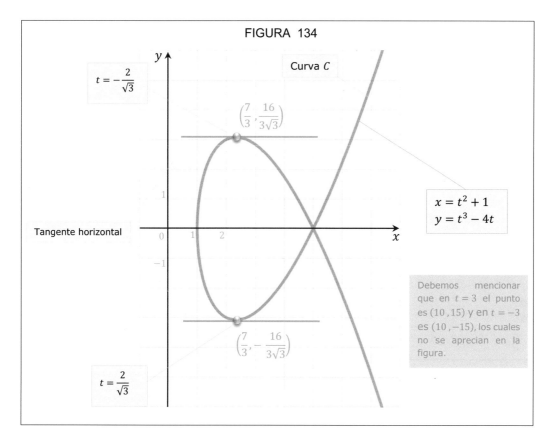

FIGURA 134

$t = -\dfrac{2}{\sqrt{3}}$

Curva C

$\left(\dfrac{7}{3}, \dfrac{16}{3\sqrt{3}}\right)$

$x = t^2 + 1$
$y = t^3 - 4t$

Tangente horizontal

Debemos mencionar que en $t = 3$ el punto es $(10, 15)$ y en $t = -3$ es $(10, -15)$, los cuales no se aprecian en la figura.

$\left(\dfrac{7}{3}, -\dfrac{16}{3\sqrt{3}}\right)$

$t = \dfrac{2}{\sqrt{3}}$

Ejercicio 110:

Rectas tangentes a la curva en un punto. La **cicloide alargada** dada por las ecuaciones paramétricas, $x = 2t - \pi \operatorname{sen} t$ y $y = 2 - \pi \cos t$, se cortan a sí misma en el punto $(0, 2)$. Halle las ecuaciones de las dos rectas tangentes en dicho punto.

Pasos:

1. El punto $(0, 2)$ debe satisfacer las ecuaciones paramétricas dadas, lo cual nos permitirá hallar el parámetro t, elevamos al cuadrado y sumamos miembro a miembro, veamos:

$$x = 2t - \pi \operatorname{sen} t \text{ y } y = 2 - \pi \cos t \to 0 = 2t - \pi \operatorname{sen} t \text{ y } 2 = 2 - \pi \cos t \;\; \therefore t = \pm \frac{\pi}{2}.$$

2. Luego, usamos la ecuación del teorema 58 para calcular dy/dx, así:

$$x = 2t - \pi \operatorname{sen} t \to \frac{dx}{dt} = 2 - \pi \cos t \quad \text{y} \quad y = 2 - \pi \cos t \to \frac{dy}{dt} = \pi \operatorname{sen} t$$

$$\therefore \frac{dy}{dx} = \frac{\dfrac{dy}{dt}}{\dfrac{dx}{dt}} = \frac{\pi \operatorname{sen} t}{2 - \pi \cos t}.$$

3. A continuación, calculamos las pendientes de las dos rectas tangentes en $t = \pm \pi/2$, así:

$$m_1 = \frac{dy}{dx} = \left.\frac{\pi \operatorname{sen} t}{2 - \pi \cos t}\right|_{t=-\frac{\pi}{2}} \;\; \therefore m_1 = -\frac{\pi}{2} \quad \text{y} \quad m_2 = \frac{dy}{dx} = \left.\frac{\pi \operatorname{sen} t}{2 - \pi \cos t}\right|_{t=\frac{\pi}{2}} \;\; \therefore m_2 = \frac{\pi}{2}.$$

4. Conociendo el punto de paso $(0,2)$ y las pendientes $m_1 = -\pi/2$ y $m_2 = \pi/2$, hallamos las ecuaciones de las dos rectas tangentes a la cicloide alargada. Empleamos la ecuación de la recta tangente en la forma punto-pendiente (teorema 5), como sigue:

$$y - y_1 = m(x - x_1) \rightarrow y - 2 = -\frac{\pi}{2}(x - 0) \therefore y = -\frac{\pi}{2}x + 2 \quad y \quad y - 2 = \frac{\pi}{2}(x - 0) \therefore y = \frac{\pi}{2}x + 2.$$

5. Finalmente, la figura 135 muestra la curva C y sus rectas tangentes.

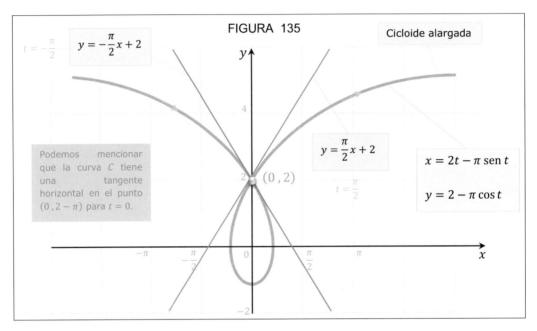

FIGURA 135

Cicloide alargada

$t = -\dfrac{\pi}{2}$

$y = -\dfrac{\pi}{2}x + 2$

$y = \dfrac{\pi}{2}x + 2$

$t = \dfrac{\pi}{2}$

$x = 2t - \pi \operatorname{sen} t$

$y = 2 - \pi \cos t$

$(0,2)$

Podemos mencionar que la curva C tiene una tangente horizontal en el punto $(0, 2 - \pi)$ para $t = 0$.

169. Derivadas de orden superior-forma paramétrica: Podemos expandir las derivadas a otros órdenes como hacíamos en cursos anteriores. Sabemos que dy/dx es función de t, podemos usar el teorema 58 (conocida como la forma paramétrica de la primera derivada) repetidamente para hallar las derivadas de orden superior, como muestra la tabla 32.

TABLA 32

Orden de la derivada	Forma paramétrica
1	$\dfrac{dy}{dx} = \dfrac{\frac{dy}{dt}}{\frac{dx}{dt}}$
2	$\dfrac{d^2y}{dx^2} = \dfrac{d}{dx}\left(\dfrac{dy}{dx}\right) = \dfrac{\frac{d}{dt}\left(\frac{dy}{dx}\right)}{\frac{dx}{dt}}$
3	$\dfrac{d^3y}{dx^3} = \dfrac{d}{dx}\left(\dfrac{d^2y}{dx^2}\right) = \dfrac{\frac{d}{dt}\left(\frac{d^2y}{dx^2}\right)}{\frac{dx}{dt}}$
$\vdots$	$\vdots$
n	$\dfrac{d^ny}{dx^n} = \dfrac{d}{dx}\left(\dfrac{d^{n-1}y}{dx^{n-1}}\right) = \dfrac{\frac{d}{dt}\left(\frac{d^{n-1}y}{dx^{n-1}}\right)}{\frac{dx}{dt}}$

¡Cuidado!

$\dfrac{d^2y}{dx^2} \neq \dfrac{\frac{d^2y}{dt^2}}{\frac{d^2x}{dt^2}}$

Ejercicio 111:

Concavidad de una curva paramétrica. **Para la curva definida por las ecuaciones paramétricas** $x = \sqrt{t}$ y $y = 0{,}25(t^2 - 4)$, $t \geq 0$, halle la pendiente y la concavidad en el punto $(2\,,3)$.

Pasos:

1. Con la ecuación del teorema 55 conocida como la forma paramétrica de la primera derivada (con la cual se calcula la pendiente de la recta tangente a la curva paramétrica), obtenemos:

$$x = \sqrt{t} \ \rightarrow \frac{dx}{dt} = \frac{1}{2\sqrt{t}} \quad \text{y} \ \ y = \frac{1}{4}(t^2 - 4) \rightarrow \frac{dy}{dt} = \frac{1}{2}t \quad \rightarrow \frac{dy}{dx} = \frac{y'(t)}{x'(t)} = \frac{\frac{dy}{dt}}{\frac{dx}{dt}} = \frac{\frac{1}{2}t}{\frac{1}{2\sqrt{t}}} \quad \therefore \frac{dy}{dx} = t^{3/2}.$$

2. Luego, desarrollamos la forma paramétrica de la segunda derivada (tabla 32), a partir de $dy/dx = t^{3/2}$ y $dx/dt = \frac{1}{2\sqrt{t}}$, así:

$$\frac{d^2y}{dx^2} = \frac{d}{dx}\left(\frac{dy}{dx}\right) = \frac{\frac{d}{dt}\left(\frac{dy}{dx}\right)}{\frac{dx}{dt}} \quad \rightarrow \frac{d^2y}{dx^2} = \frac{\frac{d}{dt}\left(t^{3/2}\right)}{\frac{dx}{dt}} = \frac{\frac{3}{2}\sqrt{t}}{\frac{1}{2\sqrt{t}}} \quad \therefore \frac{d^2y}{dx^2} = 3t.$$

3. A continuación, el punto $(2\,,3)$ debe satisfacer las ecuaciones paramétricas dadas, lo cual nos permitirá hallar el parámetro t, veamos:

$$x = \sqrt{t} \ \text{y} \ y = \frac{1}{4}(t^2 - 4), \rightarrow 2 = \sqrt{t} \ \text{y} \ 3 = \frac{1}{4}(t^2 - 4) \ \therefore t = 4.$$

4. Para hallar la pendiente sustituimos $t = 4$ en $dy/dx = (4)^{3/2} \rightarrow dy/dx = 8$, y con la segunda derivada $d^2y/dx^2 = 3(4) = 12 > 0$, por lo que la gráfica es cóncava hacia arriba, como muestra la figura 136.

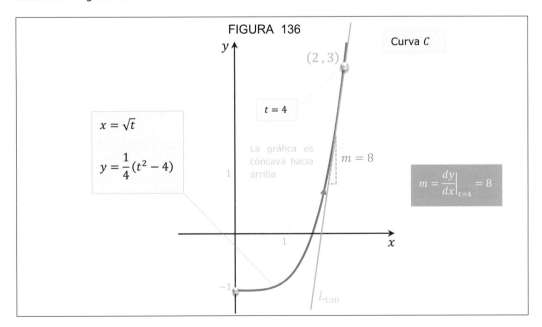

FIGURA 136

Curva C

$t = 4$

La gráfica es cóncava hacia arriba

$x = \sqrt{t}$

$y = \frac{1}{4}(t^2 - 4)$

$m = 8$

$m = \left.\frac{dy}{dx}\right|_{t=4} = 8$

$(2\,,3)$

L_{tan}

5. Finalmente, la pendiente es 8 y la gráfica es cóncava hacia arriba.

170. Área: Sabemos que en coordenadas rectangulares (o cartesianas) el área A bajo la curva $y = h(x)$ de $x = a$ hacia $x = b$, se define como:

$$A = \int_{x=a}^{x=b} h(x)\, dx, \qquad h(x) \geq 0.$$

Pero si una curva se traza a través de ecuaciones paramétricas $x = f(t)$ y $y = g(t), t \in [\alpha, \beta]$ entonces podemos escribir una fórmula para el área A, empleando la regla de sustitución para integrales, donde $x = f(t) \to dx = f'(t)\, dt$, como se muestra:

$$A = \int_{x=a}^{x=b} y\, dx = \int_{t=\alpha}^{t=\beta} g(t)\ f'(t)\, dt.$$

Ejercicio 112:

Área del astroide. Determine el área encerrada por el astroide, considerando las ecuaciones paramétricas, $x = a \cos^3 t$ y $y = b \operatorname{sen}^3 t$, $0 \leq t \leq 2\pi$.

Pasos:

1. Conozcamos el astroide. La hipocicloide o astroide es el lugar geométrico de un punto fijo cualquiera de una circunferencia que rueda interiormente, sin resbalar, sobre otra circunferencia fija. Siguiendo un procedimiento similar a la cicloide (ejercicio 107), podemos demostrar que las ecuaciones paramétricas para el astroide son:

$$x = (a - b)\cos\theta + b\cos\frac{a - b}{b}\,\theta$$

$$y = (a - b)\operatorname{sen}\theta - b\operatorname{sen}\frac{a - b}{b}\,\theta$$

donde a y b son los radios de las circunferencias fija y rodante respectivamente, y el parámetro θ es el ángulo que la recta de los centros OC forma con la parte positiva del eje x, tal como se muestra en la figura 137. Sea r la razón de a y b de modo que $a = rb$, si r es un número entero, tenemos una astroide de r picos. La figura muestra cuatro picos, $a = 4b \to b = a/4$, sustituyendo podemos encontrar una fórmula más sencilla, así:

$$x = \frac{3a}{4}\cos\theta + \frac{a}{4}\cos 3\theta \quad \text{y} \quad y = \frac{3a}{4}\operatorname{sen}\theta - \frac{a}{4}\operatorname{sen} 3\theta$$

luego, reemplazamos en estas ecuaciones los valores de $\cos 3\theta$ y $\operatorname{sen} 3\theta$ según las fórmulas trigonométricas:

$$\cos 3\theta = 4\cos^3\theta - 3\cos\theta \quad \text{y} \quad \operatorname{sen} 3\theta = 3\operatorname{sen}\theta - 4\operatorname{sen}^3\theta$$

obteniendo la forma simplificada y más conocida de las ecuaciones paramétricas como es la astroide:

$$x = a\cos^3 t \quad \text{y} \quad y = a\operatorname{sen}^3 t.$$

Por último, si tomamos la potencia dos tercios en ambos miembros y sumamos resulta:

$$x^{2/3} + y^{2/3} = a^{2/3}.$$

2. En las ecuaciones paramétricas dadas: $x = a\cos^3 t = f(t)$ y $y = b\,\text{sen}^3\,t = g(t)$, hallamos los límites de integración haciendo, $x = 0$ y $x = a$ en $x = a\cos^3 t$, obteniendo los siguientes valores del parámetro t: $t_1 = \pi/2$ y $t_2 = 0$.

3. Luego, con $g(t) = b\,\text{sen}^3\,t$ y $f(t) = a\cos^3 t \rightarrow f'(t) = 3a\cos^2 t\,(-\text{sen}\,t) = -3a\,\text{sen}\,t\,\cos^2 t$, sustituimos en la ecuación del artículo 170, así:

$$A = \int_{t=\alpha}^{t=\beta} g(t)\,f'(t)\,dt$$

considerando el criterio de simetría, el área interior es 4 veces el área bajo la curva en el primer cuadrante, donde $0 \le t \le \pi/2$, tal como se indica:

$$A = 4\int_{t_1=\frac{\pi}{2}}^{t_2=0} b\,\text{sen}^3\,t(-3a\,\text{sen}\,t\,\cos^2 t)\,dt = 12ab\int_{t_2=0}^{t_1=\frac{\pi}{2}} \text{sen}^4\,t\,\cos^2 t\,dt. \qquad \cos^2\theta = \frac{1+\cos 2\theta}{2}$$

$$\text{sen}^2\theta = \frac{1-\cos 2\theta}{2}$$

$$A = \frac{12ab}{8}\left[\frac{t}{2} - \frac{\text{sen}\,4t}{8} - \frac{\text{sen}^3\,2t}{6}\right]_{t_2=0}^{t_1=\frac{\pi}{2}} \qquad \therefore A = \frac{3}{8}ab\pi. \qquad \text{sen}^4\theta = \left(\frac{1-\cos 2\theta}{2}\right)^2$$

4. Finalmente, la figura 137 muestra los resultados.

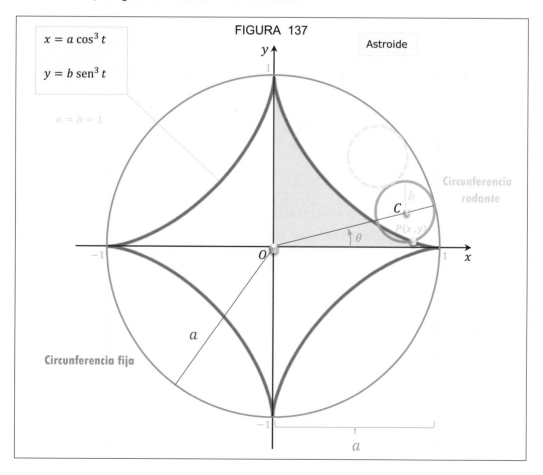

FIGURA 137

171. Longitud de arco L o s:

La figura 138A muestra una curva, ¿cómo podría medir su longitud? Seguramente usted tomaría una cuerda, lo pone encima de la curva, luego lo estira, toma una regla métrica y mide la longitud. Pero imagínese una curva más complicada ¿sería más difícil? Por ello, necesitamos una definición más precisa para calcular la longitud de un arco (segmento de curva) de una curva. Veamos el siguiente teorema.

TEOREMA 59: La longitud de una curva definida en forma paramétrica. Si una curva suave C está dada por las ecuaciones paramétricas $x = f(t)$ y $y = g(t)$, y C no se corta a sí misma (se recorre sólo una vez) en el intervalo $a \leq t \leq b$ (excepto quizá en los puntos terminales), donde f' y g' son continuas y no simultáneamente iguales a cero (lo que evita que C tenga <u>esquinas o picos</u>) en $[a, b]$, entonces la longitud de arco L de C en ese intervalo, está dada por:

Si $y = f(x)$, $a \leq x \leq b$:

$$L = \int_a^b \sqrt{1 + \left(\frac{dy}{dx}\right)^2}\ dx$$

$$s = L = \int_{t=a}^{t=b} \sqrt{[f'(t)]^2 + [g'(t)]^2}\ dt = \int_{t=a}^{t=b} \sqrt{\left(\frac{dx}{dt}\right)^2 + \left(\frac{dy}{dt}\right)^2}\ dt.$$

Si $x = g(y)$, $c \leq y \leq d$:

$$L = \int_c^d \sqrt{1 + \left(\frac{dx}{dy}\right)^2}\ dy$$

172. Demostración: Ahora imagine que la curva es un polígono, para hallar su longitud sólo debemos sumar las longitudes de los segmentos lineales. Con esta estrategia, vamos a definir la longitud de una curva general aproximándola primero mediante un polígono y luego se toma el límite cuando se incrementa el número de segmentos del polígono (vea la figura 138B). Consideremos una curva C definida por la función $y = f(x)$, donde f es continua en $[a, b]$, podemos obtener una aproximación poligonal a C dividiendo el intervalo $[a, b]$ en n subintervalos con puntos extremos $x_0, x_1, x_2, \cdots, x_n$ y de igual ancho Δx.

La figura 138C muestra el polígono con vértices $P_0, P_1, P_2, \cdots, P_n$ cuyos puntos sucesivos se unen en esta subdivisión mediante segmentos de recta, que dan una aproximación a la curva C, donde un punto cualquiera $P_k(x_k, y_k)$ se encuentra sobre C. Por tanto, definimos la longitud L de la curva C de ecuación $y = f(x), x \in [a, b]$, como el límite (si existe) de las longitudes de dichos polígonos inscritos, así:

$$L = \lim_{n \to \infty} \sum_{k=1}^{n} |P_{k-1}P_k|.$$

A partir de la figura 138D, y considerando una curva suave (porque un cambio pequeño en x produce un cambio pequeño en $f'(x)$) desarrollamos la expresión $|P_{k-1}P_k|$. Para ello, tomamos un segmento representativo en el intervalo $[P_{k-1}, P_k]$, con $\Delta x_k = x_k - x_{k-1}$ y $\Delta y_k = y_k - y_{k-1}$ cuyas coordenadas son $P_{k-1}(x_{k-1}, y_{k-1})$ y $P_k(x_k, y_k)$. En particular, si aproximamos la longitud del arco P_{k-1}, P_k al k−ésimo segmento L_k, el cual puede obtenerse aplicando el teorema de Pitágoras, como sigue:

$$L_k = |P_{k-1}P_k| = \sqrt{(\Delta x_k)^2 + (\Delta y_k)^2} = \sqrt{(x_k - x_{k-1})^2 + (y_k - y_{k-1})^2}\ .$$

Luego, aplicamos el teorema del valor medio a f en el intervalo $[x_{k-1}, x_k]$ y encontramos que existe un número $x_k{}^*$ entre x_{k-1} y x_k, con $\Delta y_k = f(x_k) - f(x_{k-1})$, escribimos:

$$f(x_k) - f(x_{k-1}) = f'(x_k{}^*)(x_k - x_{k-1}) \;\to\; \Delta y_k = f'(x_k{}^*)\Delta x_k.$$

A continuación, $\Delta y_k = f'(x_k{}^*)\Delta x_k$ sustituimos en $L_k = |P_{k-1}P_k|$, así:

$$L_k = |P_{k-1}P_k| = \sqrt{(\Delta x_k)^2 + (\Delta y_k)^2} = \sqrt{(\Delta x_k)^2 + [f'(x_k{}^*)\Delta x_k]^2} = \sqrt{1 + [f'(x_k{}^*)]^2}\,\Delta x_k$$

luego, en L:

$$L = \lim_{n\to\infty} \sum_{k=1}^{n} |P_{k-1}P_k| \rightarrow L = \lim_{n\to\infty} \sum_{k=1}^{n} \sqrt{1 + [f'(x_k{}^*)]^2}\,\Delta x_k$$

la última expresión podemos escribirla (definición de integral definida) como:

$$L = \int_a^b \sqrt{1 + [f'(x)]^2}\;dx.$$

Esta integral existe porque el integrando es continua. Empleando la notación de Leibniz para derivadas, podemos escribir L, como:

$$L = \int_a^b \sqrt{1 + [f'(x)]^2}\;dx = \int_a^b \sqrt{1 + \left(\frac{dy}{dx}\right)^2}\;dx$$

Definición: Si f' es continua en $[a,b]$, entonces la longitud de arco de la curva $y = f(x)$ desde a al punto b, es el valor de la integral indicada.

Por último, de la ecuación del teorema 58 (tangente), encontramos la fórmula para hallar la longitud de una curva definida en forma paramétrica:

$$L = \int_a^b \sqrt{1 + \left(\frac{\frac{dy}{dt}}{\frac{dx}{dt}}\right)^2}\;dx = \int_a^b \sqrt{\frac{\left(\frac{dx}{dt}\right)^2 + \left(\frac{dy}{dt}\right)^2}{\left(\frac{dx}{dt}\right)^2}}\;\frac{dx}{dt}\;dt$$

$$L = \int_a^b \sqrt{\left(\frac{dx}{dt}\right)^2 + \left(\frac{dy}{dt}\right)^2}\;dt = \int_a^b \sqrt{[f'(t)]^2 + [g'(t)]^2}\,dt.$$

DEBES SABER QUE:

Amigo lector, puede observar que en toda la demostración (artículo 172) se consideró la curva $y = f(x)$, ¿qué cambios se deberían hacer para expresarlo en su forma paramétrica? Primero definamos la curva como $x = f(t), y = g(t), a \leq t \leq b$. Segundo, el intervalo $[a,b]$ en n subintervalos de puntos t_k, $a = t_0 < t_1 < t_2 < \cdots < t_{n-1} < t_n = b$. Tercero, el teorema de valor medio aplicado dos veces para $t_k{}^*$ y $t_k{}^{**}$ en $[t_{k-1}, t_k]$: $\Delta x_k = f(t_k) - f(t_{k-1}) = f'(t_k{}^*)(t_k - t_{k-1})$ y para el otro punto, $\Delta y_k = g(t_k) - g(t_{k-1}) = g'(t_k{}^{**})(t_k - t_{k-1})$. Cuarto, al sustituir en L_k, obtenemos: $L_k = |P_{k-1}P_k| = \sqrt{(\Delta x_k)^2 + (\Delta y_k)^2} = \sqrt{[f'(t_k{}^*)(t_k - t_{k-1})]^2 + [g'(t_k{}^{**})(t_k - t_{k-1})]^2}$. Reduciendo la expresión resulta:

$$L = \lim_{n\to\infty} \sum_{k=1}^{n} |P_{k-1}P_k| \rightarrow L = \lim_{n\to\infty} \sum_{k=1}^{n} \sqrt{[f'(t_k{}^*)]^2 + [g'(t_k{}^{**})]^2}\,\Delta t_k.$$

La última expresión es casi una suma de Riemann, la única dificultad es que $t_k{}^*$ y $t_k{}^{**}$ no son el mismo punto (sin embargo, se sabe que en el límite esto no importa, cuando la norma de la partición tiende a cero), luego siga el desarrollo como se mostró líneas arriba.

FIGURA 138

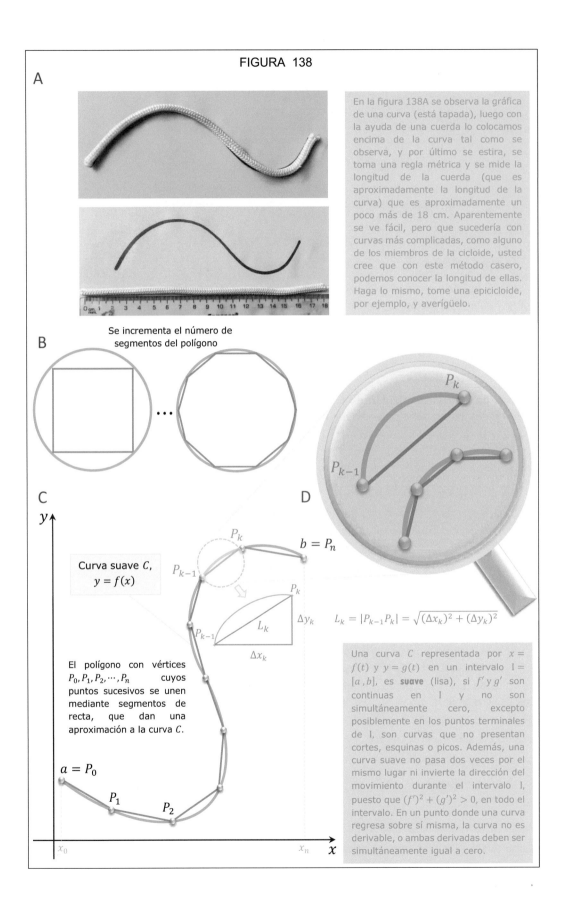

A

En la figura 138A se observa la gráfica de una curva (está tapada), luego con la ayuda de una cuerda lo colocamos encima de la curva tal como se observa, y por último se estira, se toma una regla métrica y se mide la longitud de la cuerda (que es aproximadamente la longitud de la curva) que es aproximadamente un poco más de 18 cm. Aparentemente se ve fácil, pero que sucedería con curvas más complicadas, como alguno de los miembros de la cicloide, usted cree que con este método casero, podemos conocer la longitud de ellas. Haga lo mismo, tome una epicicloide, por ejemplo, y averígüelo.

B

Se incrementa el número de segmentos del polígono

C

Curva suave C, $y = f(x)$

$$L_k = |P_{k-1}P_k| = \sqrt{(\Delta x_k)^2 + (\Delta y_k)^2}$$

El polígono con vértices $P_0, P_1, P_2, \cdots, P_n$ cuyos puntos sucesivos se unen mediante segmentos de recta, que dan una aproximación a la curva C.

$a = P_0$

D

Una curva C representada por $x = f(t)$ y $y = g(t)$ en un intervalo $I = [a, b]$, es **suave** (lisa), si f' y g' son continuas en I y no son simultáneamente cero, excepto posiblemente en los puntos terminales de I, son curvas que no presentan cortes, esquinas o picos. Además, una curva suave no pasa dos veces por el mismo lugar ni invierte la dirección del movimiento durante el intervalo I, puesto que $(f')^2 + (g')^2 > 0$, en todo el intervalo. En un punto donde una curva regresa sobre sí misma, la curva no es derivable, o ambas derivadas deben ser simultáneamente igual a cero.

Ejercicio 113:

Longitud de arco de la epicicloide. Una circunferencia de radio unitario rueda externamente sobre una circunferencia mayor fija de radio cuatro, como se muestra en la figura 139. La curva resultante se le conoce como epicicloide, la cual se traza a partir de un punto en la circunferencia rodante de ecuaciones paramétricas $x = 5\cos t - \cos 5t$ y $y = 5\,\mathrm{sen}\,t - \mathrm{sen}\,5t$. Se pide hallar la distancia recorrida por el punto P al dar la vuelta completa alrededor de la circunferencia mayor.

Pasos:

1. Conozcamos la epicicloide. La epicicloide es el lugar geométrico descrito por un punto fijo cualquiera de una circunferencia que rueda exteriormente, sin resbalar, sobre una circunferencia fija. Siguiendo un procedimiento similar a la hipocicloide o astroide (ejercicio 112), podemos deducir las ecuaciones paramétricas para la epicicloide, considerando que la circunferencia fija tiene su centro en el origen y una posición del punto que describe la curva está sobre la parte positiva del eje x y sobre la circunferencia fija. Sea $P(x,y)$ un punto cualquiera del lugar geométrico, además, a y b son los radios de las circunferencias fija y rodante respectivamente, y C es el centro de la circunferencia rodante o generatriz. El parámetro θ es el ángulo que la recta de los centros OC forma con la parte positiva del eje x, tal como se muestra en la figura 139. Sea A el punto sobre el eje x que indica la posición inicial de P y sea B el punto de tangencia de las dos circunferencias. Desde C y P bajamos las perpendiculares CD y PE respectivamente, al eje x, y tracemos PF perpendicular a CD. El ángulo OCP denotado como β y el ángulo PCF denotado como α, ambos en radianes. En la figura se observa que la circunferencia generatriz rueda sin resbalar de A hacia B, por lo que escribimos, arco $|\overrightarrow{AB}|=$arco PB, que es igual a: $a\theta = b\beta$.

Relacionamos los ángulos β y θ, así:

$$a\theta = b\beta \rightarrow \beta = \frac{a}{b}\theta \quad \text{y} \quad \theta + \beta = \theta + \frac{a}{b}\theta = \left(\frac{a+b}{b}\right)\theta \quad \rightarrow \theta + \beta = \left(\frac{a+b}{b}\right)\theta.$$

también observamos que se cumple:

$$\alpha = \beta - \text{ángulo } OCD = \beta - \left(\frac{\pi}{2} - \theta\right) = \beta + \theta - \frac{\pi}{2} \quad \rightarrow \alpha = \beta + \theta - \frac{\pi}{2}.$$

Ahora podemos escribir una relación entre α y θ, hallando el $\mathrm{sen}\,\alpha$ y $\cos\alpha$:

$$\mathrm{sen}\,\alpha = \mathrm{sen}\left(\beta + \theta - \frac{\pi}{2}\right) = -\mathrm{sen}\left[\frac{\pi}{2} - (\theta + \beta)\right] = -\cos(\theta + \beta) = -\cos\left(\frac{a+b}{b}\right)\theta$$

de forma similar con el $\cos\alpha$:

$$\cos\alpha = \cos\left(\beta + \theta - \frac{\pi}{2}\right) = \cos\left[\frac{\pi}{2} - (\theta + \beta)\right] = \mathrm{sen}\,(\theta + \beta) = \mathrm{sen}\left(\frac{a+b}{b}\right)\theta.$$

Desarrollando las coordenadas (x,y) del punto P, tenemos:

$$x = OE = OD + DE = OD + FP = OC\cos\theta + CP\,\mathrm{sen}\,\alpha = (a+b)\cos\theta - b\cos\left(\frac{a+b}{b}\right)\theta$$

$$y = EP = DF = DC - FC = OC\,\mathrm{sen}\,\theta - CP\cos\alpha = (a+b)\,\mathrm{sen}\,\theta - b\,\mathrm{sen}\left(\frac{a+b}{b}\right)\theta.$$

Con la información obtenida las ecuaciones paramétricas que resultan son:

$$x = (a + b) \cos \theta - b \cos \left(\frac{a + b}{b} \right) \theta \quad \text{y} \quad y = (a + b) \operatorname{sen} \theta - b \operatorname{sen} \left(\frac{a + b}{b} \right) \theta.$$

Podemos agregar otras características: a los puntos que se encuentran sobre la circunferencia fija como A y G se les conoce como pico, la porción de la curva comprendida dos picos sucesivos se llama arco. El número de picos y arcos depende de las magnitudes relativas de los radios a y b. Sea r la razón de a y b de modo que $a = rb$, si r es un número entero, tenemos una epicicloide de r picos y r arcos, si r es un número racional el punto P dará la vuelta en torno a la circunferencia fija dos o más veces antes de regresar al punto de partida A. Pero si r es irracional, el punto trazador P no regresa al inicio A. Por último, si $a = b \rightarrow r = 1$, tenemos la epicicloide de un pico o cardioide, definidas por las ecuaciones paramétricas dadas como, $x = 2a \cos \theta - a \cos 2\theta$ y $y = 2a \operatorname{sen} \theta - a \operatorname{sen} 2\theta$.

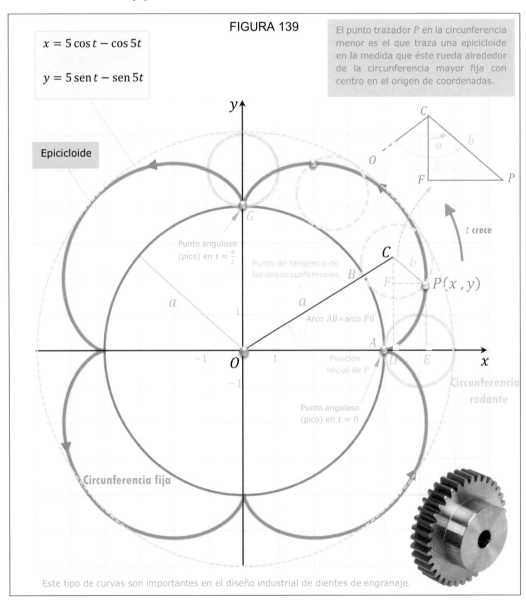

FIGURA 139

$x = 5 \cos t - \cos 5t$

$y = 5 \operatorname{sen} t - \operatorname{sen} 5t$

El punto trazador P en la circunferencia menor es el que traza una epicicloide en la medida que éste rueda alrededor de la circunferencia mayor fija con centro en el origen de coordenadas.

Epicicloide

Punto anguloso (pico) en $t = \frac{\pi}{2}$

Punto de tangencia de las dos circunferencias

Arco AB = arco PB

t crece

$P(x, y)$

Posición inicial de P

Circunferencia rodante

Punto anguloso (pico) en $t = 0$

Circunferencia fija

Este tipo de curvas son importantes en el diseño industrial de dientes de engranaje.

2. A continuación, en la figura podemos mencionar que existen dos puntos angulosos sobre la curva suave C, en $t = 0$ y $t = \pi/2$. Entre estos dos puntos por ejemplo $t = \pi/6$ y $t = \pi/4$, se puede comprobar que:

$$\frac{dx}{dt} \text{ y } \frac{dy}{dt} \text{, no son simultáneamente cero}$$

$$x = 5\cos t - \cos 5t \rightarrow \frac{dx}{dt} = -5\,\text{sen}\,t + 5\,\text{sen}\,5t, \qquad \text{en } t = \frac{\pi}{6}: \;\; \frac{dx}{dt} = 0$$

$$y = 5\,\text{sen}\,t - \text{sen}\,5t \rightarrow \frac{dy}{dt} = 5\cos t - 5\cos 5t, \qquad \text{en } t = \frac{\pi}{4}: \;\; \frac{dy}{dt} = 5\sqrt{2}.$$

Por tanto, podemos concluir que la porción de la curva que se genera de $t = 0$ a $t = \pi/2$ es suave.

3. Luego, para hallar la distancia total recorrida por el punto trazador P, calculamos la longitud de arco que se encuentra en el primer cuadrante y se multiplica por cuatro, de acuerdo a la ecuación del teorema 59, tenemos:

$$L = \int_{t=a}^{t=b} \sqrt{\left(\frac{dx}{dt}\right)^2 + \left(\frac{dy}{dt}\right)^2}\; dt \rightarrow L = 4\int_{t=0}^{t=\frac{\pi}{2}} \sqrt{(-5\,\text{sen}\,t + 5\,\text{sen}\,5t)^2 + (5\cos t - 5\cos 5t)^2}\; dt$$

$$\cos(5t - t) = \cos 5t \cos t + \text{sen}\,5t \,\text{sen}\,t = \cos 4t$$

$$L = 20\int_{t=0}^{t=\frac{\pi}{2}} \sqrt{2 - 2(\text{sen}\,t\,\text{sen}\,5t + \cos t\cos 5t)}\; dt = 20\int_{t=0}^{t=\frac{\pi}{2}} \sqrt{2 - 2\cos 4t}\; dt$$

$$L = 20\int_{t=0}^{t=\frac{\pi}{2}} \sqrt{4\,\text{sen}^2\,2t}\; dt = 40\int_{t=0}^{t=\frac{\pi}{2}} \text{sen}\,2t\; dt = -20[\cos 2t]_{t=0}^{t=\frac{\pi}{2}} \;\; \therefore L = 40.$$

4. Finalmente, la distancia completa es 40 unidades lineales. En la figura se observa una circunferencia de radio seis (color plomo), si calculamos la longitud como $2\pi r$ obtendríamos aproximadamente 37,7 unidades.

Ejercicio 114:
Cicloide. Determine la longitud de arco de la cicloide $x = r(\theta - \text{sen}\,\theta)$ y $y = r(1 - \cos\theta)$.

Pasos:
1. En el ejercicio 107 estudiamos la cicloide y sabemos que un arco se describe por el intervalo del parámetro $0 \le \theta \le 2\pi$. Ahora el parámetro es θ no t. Calculemos $dx/d\theta$ y $dy/d\theta$, así:

$$x = r(\theta - \text{sen}\,\theta) \rightarrow \frac{dx}{d\theta} = r(1 - \cos\theta)$$

$$y = r(1 - \cos\theta) \rightarrow \frac{dy}{d\theta} = r\,\text{sen}\,\theta.$$

2. A continuación, sustituimos en la ecuación del teorema 59 con $t = \theta$, como sigue:

$$L = \int_{t=a}^{t=b} \sqrt{\left(\frac{dx}{dt}\right)^2 + \left(\frac{dy}{dt}\right)^2}\; dt \;\; \rightarrow L = \int_{\theta=0}^{\theta=2\pi} \sqrt{\left(\frac{dx}{d\theta}\right)^2 + \left(\frac{dy}{d\theta}\right)^2}\; d\theta.$$

$$L = \int_{\theta=0}^{\theta=2\pi} \sqrt{[r(1-\cos\theta)]^2 + (r\,\mathrm{sen}\,\theta)^2}\, d\theta = \int_{\theta=0}^{\theta=2\pi} \sqrt{r^2(1-\cos\theta)^2 + r^2\mathrm{sen}^2\theta}\, d\theta$$

$$L = \int_{\theta=0}^{\theta=2\pi} \sqrt{r^2(1-2\cos\theta+\cos^2\theta+\mathrm{sen}^2\theta)}\, d\theta = r\int_{\theta=0}^{\theta=2\pi} \sqrt{2(1-\cos\theta)}\, d\theta.$$

3. Luego, para evaluar la última integral definida, empleamos la siguiente identidad trigonométrica del ángulo mitad, haciendo un cambio de variable $\theta = 2x \rightarrow x = \theta/2$, así:

$$\mathrm{sen}^2 x = \frac{1-\cos 2x}{2} \rightarrow 2\,\mathrm{sen}^2\frac{\theta}{2} = 1-\cos\theta, \qquad \text{como } 0 \le \theta \le 2\pi \rightarrow 0 \le \frac{\theta}{2} \le \pi \ \text{y sen}\ \frac{\theta}{2} \ge 0.$$

$$\sqrt{2(1-\cos\theta)} = \sqrt{4\,\mathrm{sen}^2\frac{\theta}{2}} = 2\left|\mathrm{sen}\,\frac{\theta}{2}\right| = 2\mathrm{sen}\,\frac{\theta}{2}$$

$$\rightarrow L = 2r\int_{\theta=0}^{\theta=2\pi} \mathrm{sen}\,\frac{\theta}{2}\, d\theta = 2r\left[-2\cos\frac{\theta}{2}\right]_{\theta=0}^{\theta=2\pi} \qquad \therefore\ L = 8r.$$

4. Finalmente, la longitud de arco de la cicloide es $8r$. La interpretación es que la longitud de un arco de una cicloide es ocho veces el radio de la circunferencia generadora (fue demostrado por Sir Christopher Wren, quien posteriormente diseño la catedral de Saint Paul en Londres.

173. Longitud de una curva en forma explícita $y = f(x)$: Según el artículo 172:

$$L = \int_a^b \sqrt{1+[f'(x)]^2}\, dx = \int_a^b \sqrt{1+\left(\frac{dy}{dx}\right)^2}\, dx$$

esta fórmula es un caso particular de la ecuación del teorema 59 definida como:

$$L = \int_{t=a}^{t=b} \sqrt{[f'(t)]^2 + [g'(t)]^2}\, dt = \int_{t=a}^{t=b} \sqrt{\left(\frac{dx}{dt}\right)^2 + \left(\frac{dy}{dt}\right)^2}\, dt.$$

Dada una función continuamente derivable $y = f(x)$, $a \le x \le b$, podemos considerar que el parámetro t sea $t = x$. Entonces la gráfica de la función f es la curva C definida paramétricamente como se indica:

$$x = t \ \text{y}\ y = f(t), \qquad a \le t \le b.$$

A continuación, calculemos dx/dt y dy/dt, así:

$$\frac{dx}{dt} = 1 \ \text{y}\ \frac{dy}{dt} = f'(t)$$

luego, elevamos al cuadrado ambas igualdades y sumamos miembro a miembro, obteniendo:

$$\left(\frac{dx}{dt}\right)^2 + \left(\frac{dy}{dt}\right)^2 = 1^2 + [f'(t)]^2 = 1 + [f'(x)]^2.$$

Por último, al sustituir en la ecuación del teorema 59, se obtiene la ecuación del artículo 172, resultando la fórmula de la longitud de arco para la gráfica de $y = f(x)$, lo cual es congruente con la ecuación del teorema 59 (caso particular-lado derecho en color naranja), veamos:

$$L = \int_{t=a}^{t=b} \sqrt{\left(\frac{dx}{dt}\right)^2 + \left(\frac{dy}{dt}\right)^2} \ dt \quad \rightarrow L = \int_{x=a}^{x=b} \sqrt{1 + [f'(x)]^2} \ dx.$$

174. La diferencial de longitud de arco: Sea f continuamente diferenciable en $[a, b]$. Para cada x en (a, b), se define la función s como la función longitud de arco para $y = f(u)$, denotado como $s(x)$, (remítase a la primera ecuación del artículo 173), así:

$$s(x) = \int_{u=a}^{u=x} \sqrt{1 + [f'(u)]^2} \ du$$

No importa la variable que seleccionemos, en este caso fue u.

desde el punto $(a, f(a))$ hasta $(x, f(x))$, como se muestra en la figura 140. Luego, por el primer teorema fundamental del cálculo, podemos definir una nueva función, así:

$$s'(x) = \frac{ds}{dx} = \frac{d}{dx} \int_{u=a}^{u=x} \sqrt{1 + [f'(u)]^2} \ du = \sqrt{1 + [f'(x)]^2} = \sqrt{1 + \left(\frac{dy}{dx}\right)^2}.$$

Primer teorema fundamental del cálculo

$$\frac{d}{dx} \int_{t=a}^{t=x} f(t) \ dt = f(x)$$

A continuación, despejamos ds que representa la diferencial de la longitud de arco muy empleado en capítulos posteriores:

$$ds = \sqrt{1 + \left(\frac{dy}{dx}\right)^2} \ dx.$$

Por último, dependiendo como se parametrice una gráfica, podemos expresarla en tres formas equivalentes, veamos:

$$ds = \sqrt{1 + \left(\frac{dy}{dx}\right)^2} \ dx = \sqrt{1 + \left(\frac{dx}{dy}\right)^2} \ dy = \sqrt{\left(\frac{dx}{dt}\right)^2 + \left(\frac{dy}{dt}\right)^2} \ dt.$$

Recuérdelo, así:
$(ds)^2 = (dx)^2 + (dy)^2$

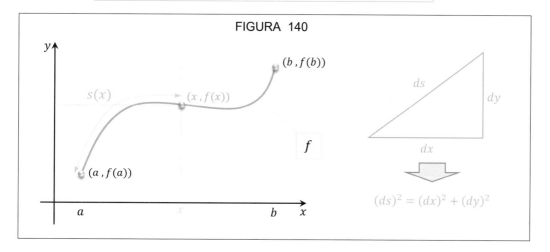

FIGURA 140

$s(x)$ · $(x, f(x))$ · $(b, f(b))$ · $(a, f(a))$ · f · a · b · x · y

ds · dy · dx

$(ds)^2 = (dx)^2 + (dy)^2$

Ejercicio 115:

Centroide del astroide. Halle el centroide del arco en el primer cuadrante de la curva llamada astroide definido por las ecuaciones paramétricas $x = \cos^3 t$ y $y = \operatorname{sen}^3 t$, $0 \leq t \leq 2\pi$.

Pasos:

1. Calculamos $(dx/dt)^2$ y $(dy/dt)^2$, como sigue:

$$x = \cos^3 t \rightarrow \frac{dx}{dt} = 3\cos^2 t\,(-\operatorname{sen} t) \quad \therefore \left(\frac{dx}{dt}\right)^2 = 9\operatorname{sen}^2 t \cos^4 t$$

$$y = \operatorname{sen}^3 t \rightarrow \frac{dy}{dt} = 3\operatorname{sen}^2 t\,(\cos t) \quad \therefore \left(\frac{dy}{dt}\right)^2 = 9\operatorname{sen}^4 t \cos^2 t.$$

Sustituimos en la siguiente expresión:

$$\sqrt{\left(\frac{dx}{dt}\right)^2 + \left(\frac{dy}{dt}\right)^2} = \sqrt{9\operatorname{sen}^2 t \cos^4 t + 9\operatorname{sen}^4 t \cos^2 t} = \sqrt{9\operatorname{sen}^2 t \cos^2 t\,(\cos^2 t + \operatorname{sen}^2 t)}$$

$$\cos t \operatorname{sen} t \geq 0 \ \text{ en } 0 \leq t \leq \frac{\pi}{2}$$

$$\sqrt{\left(\frac{dx}{dt}\right)^2 + \left(\frac{dy}{dt}\right)^2} = \sqrt{9\operatorname{sen}^2 t \cos^2 t} = 3|\cos t \operatorname{sen} t| = 3\cos t \operatorname{sen} t.$$

2. Luego, considerando una densidad lineal uniforme unitaria. Obtengamos la masa a partir de la ecuación del artículo 174, así:

$$ds = \sqrt{\left(\frac{dx}{dt}\right)^2 + \left(\frac{dy}{dt}\right)^2}\ dt$$

$$\text{Si } \rho = 1 \rightarrow dm = ds \rightarrow dm = 3\cos t \operatorname{sen} t\, dt.$$

Ya sabemos que, en virtud de la simetría de la curva en relación con los ejes coordenados, su longitud total es cuatro veces la longitud de la parte en el primer cuadrante. Pero de acuerdo al enunciado solo debemos evaluar en el primer cuadrante donde $0 \leq t \leq \pi/2$. Recordemos que la masa m de la curva, está dada por:

$$\operatorname{sen} 2x = 2\operatorname{sen} x \cos x$$

$$m = \int dm \rightarrow m = \int_{t=0}^{t=\pi/2} 3\cos t \operatorname{sen} t\, dt \rightarrow m = \frac{3}{2}\int_{t=0}^{t=\pi/2} \operatorname{sen} 2t\, dt \rightarrow m = -\frac{3}{4}\cos 2t\Big]_{t=0}^{t=\pi/2} = \frac{3}{2}.$$

3. A continuación, calculamos los momentos de la curva alrededor de los ejes coordenados, con $y = \operatorname{sen}^3 t$, como sigue:

$$M_x = \int y\, dm \rightarrow M_x = 3\int_{t=0}^{t=\pi/2} \operatorname{sen}^3 t \cos t \operatorname{sen} t\, dt = 3\int_{t=0}^{t=\pi/2} \operatorname{sen}^4 t \cos t\, dt = 3\left[\frac{\operatorname{sen}^5 t}{5}\right]_{t=0}^{t=\pi/2} = \frac{3}{5}.$$

Cabe mencionar que la distribución de la masa es simétrica con respecto a la recta $y = x$, (observe la figura 141) de manera que las coordenadas del centroide son iguales, $\bar{y} = \bar{x}$.

Hallemos $\bar{y}$, como $\bar{y} = M_x/m$, así:

$$\bar{y} = \frac{M_x}{m} \;\rightarrow\; \bar{y} = \frac{\dfrac{3}{5}}{\dfrac{3}{2}} \quad \therefore \bar{y} = \bar{x} = \frac{2}{5}.$$

4. Finalmente, el centroide del arco en el primer cuadrante de la astroide es $(2/5, 2/5)$. La figura 141 muestra los resultados.

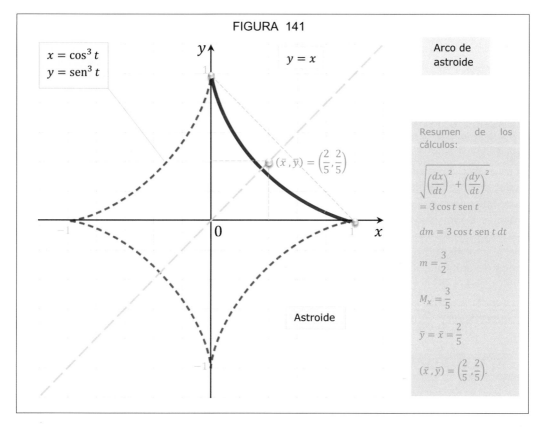

FIGURA 141

175. Celeridad a lo largo de una curva parametrizada: Definimos la celeridad o rapidez de un cuerpo que se mueve entre dos puntos P_1 y P_2 como el cociente entre el espacio recorrido y el intervalo de tiempo. La celeridad es una magnitud escalar, y se mide sobre la trayectoria (no contiene información sobre la dirección o el sentido del movimiento), siendo la unidad de medida en el Sistema Internacional, metro por segundo. Además, la velocidad es la "celeridad junto con la dirección". Veamos el siguiente teorema.

TEOREMA 60: Celeridad de una curva paramétrica. La celeridad a lo largo de una curva parametrizada como $x = f(t)$ y $y = g(t)$, está dada por:

$$\text{Celeridad} = \frac{ds}{dt} = s'(t) = \sqrt{[f'(t)]^2 + [g'(t)]^2} = \sqrt{\left(\frac{dx}{dt}\right)^2 + \left(\frac{dy}{dt}\right)^2}.$$

$$x'(t) = \frac{dx}{dt} = f'(t)$$
$$y'(t) = \frac{dy}{dt} = g'(t)$$

176. Demostración: Consideremos una partícula que se mueve a lo largo de C. La distancia recorrida por la partícula a lo largo del intervalo $[t_0, t]$ viene dada por la integral de la longitud de arco (tome como referencia el teorema 59 y el artículo 174), como se indica:

$$s(t) = L = \int_{u=t_0}^{u=t} \sqrt{[f'(u)]^2 + [g'(u)]^2} \; du.$$

Luego, como mencionamos en el artículo 175, la celeridad se define como la tasa de cambio de la distancia recorrida respecto al tiempo, y por el primer teorema fundamental del cálculo, tenemos:

$$\text{Celeridad} = s'(t) = \frac{ds}{dt} = \frac{d}{dt} \int_{u=t_0}^{u=t_1} \sqrt{[f'(u)]^2 + [g'(u)]^2} \; du = \sqrt{[f'(t)]^2 + [g'(t)]^2}.$$

Ejercicio 116:

Celeridad. Una partícula se desplaza a lo largo de $x = 2\,t$ y $y = 1 + t^{3/2}$. Se pide:
a) La celeridad de la partícula en $t = 1$ (en unidades de metros y segundos).
b) La distancia recorrida s y el desplazamiento d en el intervalo $t \in [0\,,4]$.

Pasos:

1. En este ejercicio mostraremos la diferencia entre distancia recorrida a lo largo de una curva y desplazamiento (también conocido como variación neta de la posición). El desplazamiento a lo largo de una curva es la distancia entre el punto inicial $c(t_0)$ y el final $c(t_1)$. La distancia recorrida es mayor, salvo si la partícula se desplaza en línea recta (observe la figura 142A).

2. Ahora, consideremos que la partícula se desplaza describiendo una curva C en el plano, podemos describir el movimiento de la partícula, a partir de las coordenadas en función del tiempo t como $x = 2\,t$ y $y = 1 + t^3$. Es decir, en un instante t, la partícula se encuentra en el punto denotado como $c(t) = (2\,t, 1 + t^{3/2})$. Con toda la información pertinente, empezamos calculando $(dx/dt)^2$ y $(dy/dt)^2$, como sigue:

$$x = 2\,t \rightarrow \frac{dx}{dt} = x'(t) = f'(t) = 2 \qquad \therefore \left(\frac{dx}{dt}\right)^2 = [f'(t)]^2 = 4$$

$$y = 1 + t^{3/2} \rightarrow \frac{dy}{dt} = y'(t) = g'(t) = \frac{3}{2}\,t^{1/2} \quad \therefore \left(\frac{dy}{dt}\right)^2 = [g'(t)]^2 = \frac{9}{4}t.$$

3. Luego, para hallar a), sustituimos las expresiones del paso 2 en el teorema 60, con $t = 1$:

$$\text{Celeridad} = \frac{ds}{dt} = s'(t) = \sqrt{[f'(t)]^2 + [g'(t)]^2} = \sqrt{\left(\frac{dx}{dt}\right)^2 + \left(\frac{dy}{dt}\right)^2}$$

$$\text{Celeridad} = s'(t) = \sqrt{4 + \frac{9}{4}t} \quad \rightarrow s'(1) = \frac{5}{2}\,\frac{\text{m}}{\text{s}}.$$

4. A continuación, la distancia recorrida en los primeros cuatro segundos $t_0 = 0$ a $t = 4$, se obtiene evaluando la integral definida del artículo 176, así:

$$s(t) = \int_{u=t_0}^{u=t} \sqrt{[f'(u)]^2 + [g'(u)]^2}\, du \rightarrow s = \int_{t_0=0}^{t=4} \sqrt{4 + \frac{9}{4}t}\; dt = \frac{8}{27}\left(4 + \frac{9}{4}t\right)^{\frac{3}{2}}\Bigg|_{t_0=0}^{t=4} = \frac{8}{27}\left(13^{\frac{3}{2}} - 8\right).$$

5. La figura 142B muestra el desplazamiento d la cual se define como la distancia desde el punto inicial $t_0 = 0$ al final $t = 4$, escribimos:

$$c(t) = \left(2\,t, 1 + t^{3/2}\right) \quad \rightarrow c(0) = (0,1) \text{ y } c(4) = (8,9)$$

aplicando el teorema 2 (distancia entre dos puntos en el plano) obtenemos:

$$d = \sqrt{(x_2 - x_1)^2 + (y_2 - y_1)^2} \rightarrow d = \sqrt{(8 - 0)^2 + (9 - 1)^2} \quad \therefore d = 8\sqrt{2}\,.$$

6. Finalmente, la celeridad en $t = 1$ es 2,5 m/s, la distancia recorrida $s \approx 11,5$ m y $d \approx 11,3$ m.

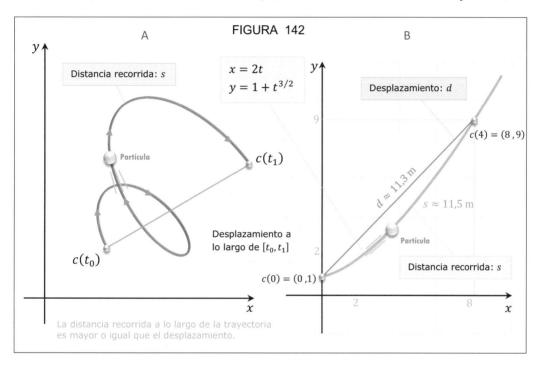

FIGURA 142

La distancia recorrida a lo largo de la trayectoria es mayor o igual que el desplazamiento.

177. Área de una superficie de revolución: Amigo lector, siempre es bueno hacer ejercicios sobre todo cuando nuestro corazón "trabaja", por lo que los especialistas recomiendan saltar la cuerda. Ahora entra la matemática, resulta que cuando salta la cuerda, ésta barre una superficie en el espacio circundante, similar a lo que se conoce como superficie de revolución. En este artículo conoceremos como se puede calcular el área de superficies de revolución. La figura 143A muestra un segmento de recta horizontal $\overline{AB}$ de longitud Δx, la cual se hace girar alrededor del eje x, resultando un cilindro de área superficial $2\pi y\, \Delta x$. Dicha área es la misma que el rectángulo de lados Δx y $2\pi y$, además, la circunferencia generada tiene longitud $2\pi y$, donde el punto (x, y) se encuentra en $\overline{AB}$. En la figura 143B tenemos el segmento $\overline{AB}$ inclinado de longitud L, se hace girar alrededor del eje x, pero esta vez resulta un tronco de cono cuya área superficial es $2\pi y^* L$, (donde $y^* = (y_1 + y_2)/2$, es la altura promedio por encima del eje x) igual al del rectángulo con lados de longitud $2\pi y^*$ y L.

TEOREMA 61: Área de una superficie de revolución en forma paramétrica. Si una curva suave C dada por $x = f(t)$ y $y = g(t)$, ($f(t)$ y $g(t) \geq 0$) no se corta así misma en el intervalo $a \leq t \leq b$, entonces el área S de la superficie de revolución generada por rotación de C, entorno a uno de los ejes coordenados, está dada por:

$$S = 2\pi \int_{t=a}^{t=b} g(t) \sqrt{\left(\frac{dx}{dt}\right)^2 + \left(\frac{dy}{dt}\right)^2}\, dt \qquad \text{Revolución respecto al eje } x.$$

$$S = 2\pi \int_{t=a}^{t=b} f(t) \sqrt{\left(\frac{dx}{dt}\right)^2 + \left(\frac{dy}{dt}\right)^2}\, dt. \qquad \text{Revolución respecto al eje } y$$

178. Demostración: De acuerdo a los principios geométricos descritos en la página precedente, vamos a determinar el área de la superficie generada al hacer girar la gráfica de una función continua no negativa $y = f(x)$, $a \le x \le b$, alrededor del eje x. Para ello, dividimos el intervalo cerrado $[a, b]$ donde los puntos de la partición permitirán que la gráfica de la curva se subdivida en pequeños arcos. La figura 143C muestra el arco $\overline{PQ}$ que gira alrededor del eje x, el segmento que une a P y Q barre el tronco o cono truncado cuyo eje se encuentra sobre el eje x. El área S_k de la superficie de éste tronco (aproxima el área de la superficie de la banda barrida por el arco $\overline{PQ}$) es $2\pi y^* L$, donde $y^* = [f(x_{k-1}) + f(x_k)]/2$, es la altura promedio en el segmento $\overline{PQ}$ y su longitud oblicua $L = \sqrt{(\Delta x_k)^2 + (\Delta y_k)^2}$, por tanto, escribimos la fórmula del área de la superficie del tronco de una banda S_k, como sigue:

$$S_k = 2\pi(\text{radio o altura promedio})(\text{longitud oblicua})$$

$$S_k = 2\pi \left[\frac{f(x_{k-1}) + f(x_k)}{2}\right] \sqrt{(\Delta x_k)^2 + (\Delta y_k)^2} = \pi\, [f(x_{k-1}) + f(x_k)] \sqrt{(\Delta x_k)^2 + (\Delta y_k)^2}.$$

Para obtener la fórmula del área de la superficie total aproximada S, debemos sumar las áreas de las bandas barridas por arcos como PQ, así:

$$S = \sum_{k=1}^{n} \pi\, [f(x_{k-1}) + f(x_k)] \sqrt{(\Delta x_k)^2 + (\Delta y_k)^2}\,.$$

Para que la aplicación sea más fina, la partición debe mejorar, además como la función f es diferenciable usamos el teorema de valor medio, en la cual existe un punto $(c_k, f(c_k))$ en la curva entre P y Q donde la tangente es paralela al segmento PQ, (vea la figura 143D). En dicho punto se cumple:

$$f'(c_k) = \frac{\Delta y_k}{\Delta x_k} \rightarrow \Delta y_k = f'(c_k)\, \Delta x_k.$$

A continuación, sustituimos $\Delta y_k = f'(c_k)\, \Delta x_k$ en S, resultando:

$$S = \sum_{k=1}^{n} \pi[f(x_{k-1}) + f(x_k)] \sqrt{(\Delta x_k)^2 + (f'(c_k)\Delta x_k)^2} = \sum_{k=1}^{n} \pi\, [f(x_{k-1}) + f(x_k)] \sqrt{1 + \left(f'(c_k)\right)^2}\, \Delta x_k$$

Debido a que los puntos x_{k-1}, x_k y c_k no son iguales, no podemos indicar que se trata de las sumas de Riemann, pero, se puede aceptar que cuando la norma de la partición de $[a, b]$ tiende a cero, dichas sumas pueden converger a la siguiente integral:

$$A(S) = S = 2\pi \int_{x=a}^{x=b} f(x) \sqrt{1 + [f'(x)]^2}\, dx. \qquad \text{Rotación alrededor del eje } x$$

En forma análoga, tenemos el área de la superficie S para rotación alrededor del eje y, así:

$$A(S) = S = 2\pi \int_{y=c}^{y=d} g(y) \ \sqrt{1 + [g'(y)]^2} \ dy.$$ Rotación alrededor del eje y

Si la curva se da en forma paramétrica con $x = f(t)$ y $y = g(t)$, $a \le t \le b$, y de acuerdo artículo 174, entonces la fórmula para el área de una superficie de revolución se transforma en:

$$S = 2\pi \int_{t=a}^{t=b} g(t) \ ds \quad \text{y} \quad S = 2\pi \int_{t=c}^{t=d} f(t) \ ds, \quad \text{sabiendo que} \quad ds = \sqrt{\left(\frac{dx}{dt}\right)^2 + \left(\frac{dy}{dt}\right)^2} \ dt.$$

FIGURA 143

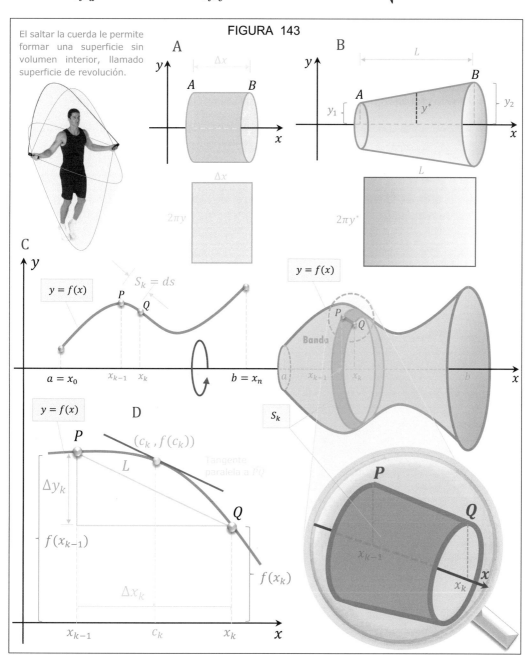

El saltar la cuerda le permite formar una superficie sin volumen interior, llamado superficie de revolución.

Ejercicio 117:

Área de una superficie de revolución. La parametrización estándar de la circunferencia de radio unitario con centro en $(0,1)$ en el plano xy es $x = \cos t$ y $y = 1 + \operatorname{sen} t$, $0 \leq t \leq 2\pi$. Empleando esta parametrización calcule el área de la superficie barrida al hacer girar la circunferencia alrededor del eje x.

Pasos:

1. Calculamos $(dx/dt)^2$ y $(dy/dt)^2$ con $x = \cos t$ y $y = 1 + \operatorname{sen} t$, como sigue:

$$x = \cos t \rightarrow \frac{dx}{dt} = x'(t) = f'(t) = -\operatorname{sen} t \qquad \therefore \left(\frac{dx}{dt}\right)^2 = (-\operatorname{sen} t)^2 = \operatorname{sen}^2 t$$

$$y = 1 + \operatorname{sen} t \rightarrow \frac{dy}{dt} = y'(t) = g'(t) = \cos t \qquad \therefore \left(\frac{dy}{dt}\right)^2 = (\cos t)^2 = \cos^2 t.$$

2. Luego, sustituimos las expresiones del paso 1 en la primera fórmula del teorema 61, debido a la revolución respecto al eje x, sabiendo que $y = g(t) = 1 + \operatorname{sen} t$ y $0 \leq t \leq 2\pi$, así:

$$S = 2\pi \int_{t=a}^{t=b} g(t) \sqrt{\left(\frac{dx}{dt}\right)^2 + \left(\frac{dy}{dt}\right)^2} \; dt \quad \rightarrow S = 2\pi \int_{t=0}^{t=2\pi} (1 + \operatorname{sen} t) \sqrt{\operatorname{sen}^2 t + \cos^2 t} \; dt = 4\pi^2.$$

3. Finalmente, el área de la superficie de revolución es $4\pi^2$. La figura 144 muestra la gráfica de la superficie de revolución.

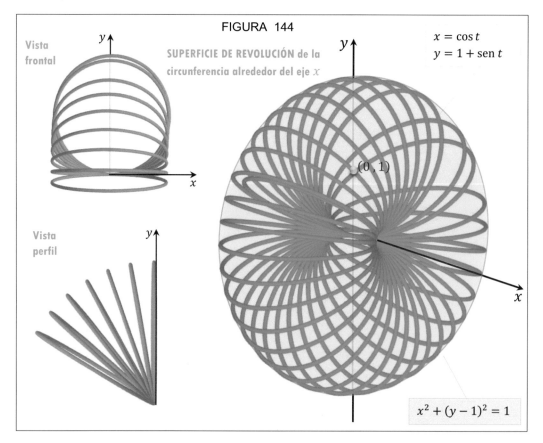

FIGURA 144

Vista frontal

SUPERFICIE DE REVOLUCIÓN de la circunferencia alrededor del eje x

$x = \cos t$
$y = 1 + \operatorname{sen} t$

$(0, 1)$

Vista perfil

$x^2 + (y - 1)^2 = 1$

Notas del lector

Amigo lector, la felicidad no es la ausencia de problemas, es la habilidad de tratar con ellos.

Steve Maraboli

Notas del lector

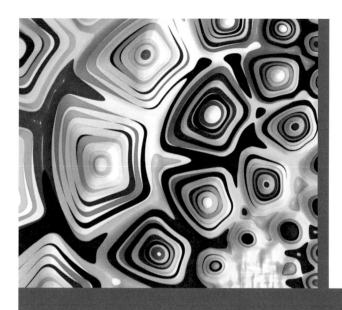
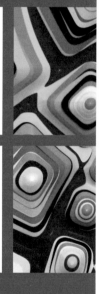

NOTEBOOK I

1.1. Sistemas de coordenadas

1.2. Línea recta

1.3. Ecuación de la circunferencia

1.4. Transformación de coordenadas

1.5. Secciones cónicas. Ecuación general de segundo grado de dos variables

1.6. Sistema de coordenadas polares

1.7. Ecuaciones paramétricas

2.1. Vectores en el plano

1.7) Ecuaciones paramétricas

Comunicación matemática

152.- Indique si el enunciado es verdadero o falso. Justifique.

Enunciado	V o F	Justifique
Si f y g son funciones continuas de t en un intervalo I, entonces a las ecuaciones dadas $x = f(t)$ y $y = g(t)$ se les denomina ecuaciones paramétricas y a t se le llama el parámetro.		
Cada una de las coordenadas x y y que indica la posición de la partícula, se convierte en una función de una tercera variable t que generalmente se asume que es el tiempo.		
La parametrización contiene más información que sólo la forma de la curva, también indica cómo se traza la curva.		
Si una curva está definida en el intervalo infinito, entonces dicha curva no es cerrada.		
Una curva plana C o curva paramétrica, es la unión de la gráfica y las ecuaciones paramétricas. Pero no siempre la curva paramétrica es la gráfica de una función.		
La gráfica de una función $y = f(x)$ siempre se puede parametrizar de manera sencilla, haciendo que $x = t$ y $y = f(t)$.		Si es verdadero, parametrice: $y = x^2$ y $y = e^t$
Las ecuaciones paramétricas nos indican acerca de la posición, dirección y velocidad en un instante dado.		
La braquistócrona está referido al tiempo mínimo.		
La longitud de un arco de una cicloide fue calculada por primera vez en 1568 por el arquitecto y matemático inglés Christopher Wren.		
Si f' es continua en $[a, b]$, entonces la longitud de arco de la curva $y = f(x)$ desde a al punto b, es el valor de la integral de L.		

153.- Responde las siguientes preguntas:

A) Comente acerca de las escaleras de doble hélice del Vaticano desde el punto de vista matemático. Diseñadas por Bramante en el siglo XVI, las actuales escaleras de salida de los museos vaticanos son el digno colofón a una visita tan repleta de belleza.

_____

_____

_____

_____

_____

_____

_____

B) Cuando una trayectoria se describe con un par de ecuaciones como $x = f(t)$ y $y = g(t)$, donde f y g son funciones continuas. ¿Por qué dichas ecuaciones describen curvas más generales que las ecuaciones $y = f(x)$?

_____

_____

_____

_____

_____

_____

C) Describe 4 tipos de curvas planas, acompañada de su respectivo gráfico.

_____

_____

_____

_____

_____

_____

_____

_____

D) Explique cómo se traza la curva definida por ecuaciones paramétricas.

_____

_____

_____

_____

_____

_____

_____

E) Cuando una ecuación dada en x y y describe dónde ha estado la partícula, pero no nos dice cuándo ha estado la partícula en un punto particular. Las ecuaciones paramétricas tienen una ventaja, nos dicen cuando estuvo la partícula en un punto y la dirección de su movimiento. Físicamente, ¿a qué se refiere? Emplee un ejemplo.

_____

_____

_____

_____

_____

_____

_____

F) Los dispositivos de graficación son particularmente útiles para trazar curvas complicadas, porque muchas de ellas serían imposibles de hacer a mano. Describe la secuencia, ¿cómo graficar con GeoGebra? De tres ejemplos de la vida cotidiana de este tipo de curvas.

_____

_____

_____

_____

_____

_____

_____

_____

154.- Responde las siguientes preguntas:

Pregunta	Responde
1. ¿Qué es eliminar el parámetro en ecuaciones paramétricas?	
2. ¿Qué es la gráfica de las ecuaciones paramétricas?	
3. ¿Qué es una curva suave?	
4. ¿Cuál es la diferencia entre una gráfica y una curva?	
5. ¿Qué relación existe entre una curva paramétrica y la concavidad?	
6. Si un intervalo I puede partirse en un número finito de subintervalos en los que la curva C es suave, entonces afirmamos que C es lisa en partes o secciones en I. Se trata de una curva:	
7. ¿Qué es la circunferencia rodante o generatriz?	
8. Es el lugar geométrico de un punto fijo cualquiera de una circunferencia que rueda interiormente, sin resbalar, sobre otra circunferencia fija:	
9. El círculo dado por $x = \cos t$ y $y = \operatorname{sen} t$, recorre una sola vez el intervalo $0 \le t \le 2\pi$. ¿en qué intervalo recorre dos veces?	
10. Las curvas conocidas como concoides de Nicomedes en honor del erudito de la antigua Grecia, Nicomedes. Las llamó concoides porque la forma de sus ramas externas se asemeja a la:	
11. La trayectoria de un punto en el borde de una rueda que gira se llama: Una circunferencia es una curva ⋯ y ⋯ mientras que una figura en forma de ocho, es una curva cerrada que no es ⋯	

155.- Determinación de las ecuaciones paramétricas de la cicloide. Amigo lector, determine las ecuaciones paramétricas de la cicloide. Apóyese en las imágenes dadas. Se pide un desarrollo muy detallado (describe las características geométricas).

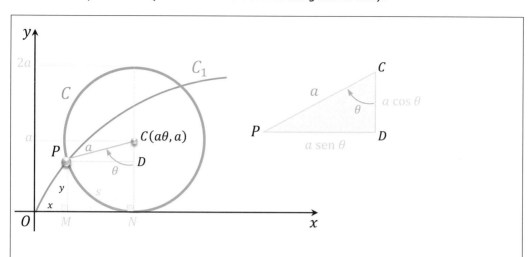

1) Considere que θ es un ángulo central que intercepta un arco de longitud s sobre un círculo de radio $r = a$, la medida del ángulo θ, en radianes, está definida por $\theta = s/r \rightarrow s = r\theta$.
2) Luego, se cumple que: arco $PN = a\theta$.
3) Finalmente, relacione segmentos que le permitan obtener las ecuaciones pedidas, es decir halle x y y.

$$x = a\theta - a\,\text{sen}\,\theta$$

Cicloide

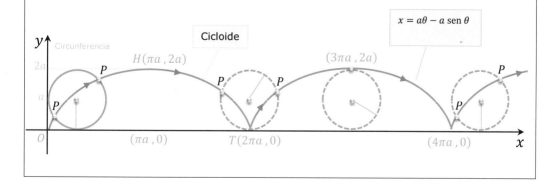

156.- Determinación de las derivadas de orden superior en forma paramétrica. Construye una tabla con las derivadas de orden superior en forma paramétrica, empiece con el orden de la derivada uno, dos, tres, cuatro, cinco y expándase a n.

Orden de la derivada	Forma paramétrica
1	$$\dfrac{dy}{dx} = \dfrac{\dfrac{dy}{dt}}{\dfrac{dx}{dt}}$$
$\vdots$	$\vdots$
n	

157.- Longitud de arco: Demostración. **Según el teorema 59:** Si una curva suave C está dada por las ecuaciones paramétricas $x = f(t)$ y $y = g(t)$, y C no se corta a sí misma (se recorre sólo una vez) en el intervalo dado por $a \leq t \leq b$ (excepto quizá en los puntos terminales), donde f' y g' son continuas y no simultáneamente iguales a cero (lo que evita que C tenga esquinas o picos) en $[a, b]$, entonces la longitud de arco L de C en ese intervalo, está dada por:

$$s = L = \int_{t=a}^{t=b} \sqrt{[f'(t)]^2 + [g'(t)]^2} \; dt = \int_{t=a}^{t=b} \sqrt{\left(\frac{dx}{dt}\right)^2 + \left(\frac{dy}{dt}\right)^2} \; dt.$$

Demuestre la fórmula.

1) Tome como referencia las figuras. Imagine que la curva es un polígono, para hallar su longitud sólo deberá sumar las longitudes de los segmentos lineales

2) Luego, considere que la longitud L de la curva C de ecuación $y = f(x), x \in [a, b]$, como el límite (si existe) de las longitudes de dichos polígonos inscritos (tome los extremos del segmento encerrado en el círculo).

3) A continuación, halle $|P_{k-1}P_k|$ en el intervalo $[P_{k-1}, P_k]$, con $\Delta x_k = x_k - x_{k-1}$ y $\Delta y_k = y_k - y_{k-1}$ cuyas coordenadas son $P_{k-1}(x_{k-1}, y_{k-1})$ y $P_k(x_k, y_k)$, distancia entre dos puntos.

4) Finalmente, empleando el teorema de valor medio a f en el intervalo $[x_{k-1}, x_k]$ encontramos que existe un número x_k^* tal que: $\Delta y_k = f'(x_k^*)\Delta x_k$. Sustituye en la expresión obtenida en el paso 3. Exprésalo en ecuaciones paramétricas empleando: $f'(x) = \frac{dy}{dx} = \frac{dy/dt}{dx/dt}$. Además, escribe las fórmulas con respecto al eje x y al eje y.

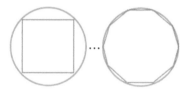

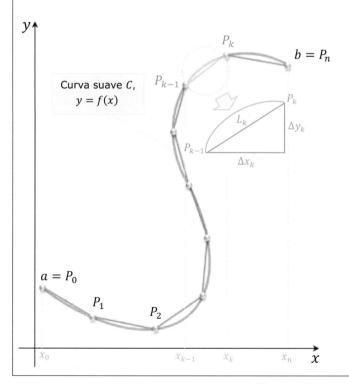

158.- Determinación de la fórmula de la hipocicloide. **Demuestre la fórmula simplificada de la hipocicloide o astroide:** $x^{2/3} + y^{2/3} = a^{2/3}$. **Tome como referencia la figura adjunta.**

1) Procede de forma similar a la cicloide (ejercicio 107 de la sección 1.7 del **Libro 1-Parte IV**).

2) Luego, en la figura a y b son los radios de las circunferencias fija y rodante respectivamente, y el parámetro θ es el ángulo que la recta de los centros OC forma con la parte positiva del eje x. Por ejemplo vemos en la imagen que tiene cuatro picos, $a = 4b$.

3) A continuación, sustituye en las ecuaciones paramétricas del astroide:

$$x = (a - b)\cos\theta + b\cos\frac{a - b}{b}\,\theta \ \text{ y } \ y = (a - b)\operatorname{sen}\theta - b\operatorname{sen}\frac{a - b}{b}\,\theta.$$

4) Finalmente, por trigonometría elemental obtenga: $\cos 3\theta$ y $\operatorname{sen} 3\theta$, dele la forma simplificada.

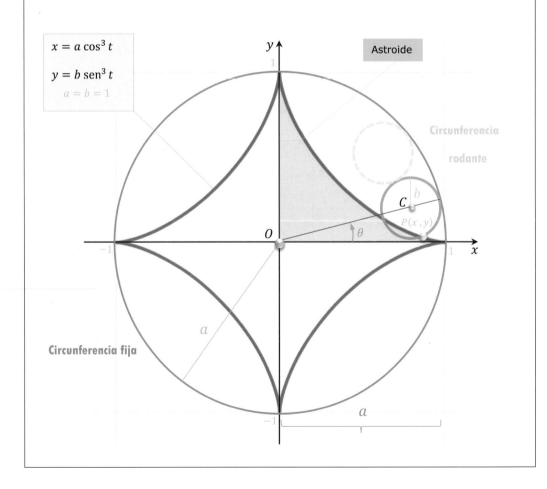

159.- Determinación del movimiento de una partícula. El movimiento de una partícula a lo largo de una curva, en contraste con una línea recta, se denomina movimiento curvilíneo. Suponga que una pelota de golf golpea sobre el suelo en forma perfectamente recta (sin efecto de gancho o de rebanada) y que su trayectoria permanece en un plano de coordenadas, entonces su movimiento está gobernado de acuerdo a la aceleración en las direcciones x y y, satisface: $a_x = 0$ y $a_y = -g$, donde g es la aceleración debido a la gravedad y $a_x = d^2x/dt^2$ y $a_y = d^2y/dt^2$. Se pide:

A) Considere que $t = 0 \to x = 0$ y $y = 0$, ¿cuál sería las componentes x y y de la velocidad inicial v_0?

B) Tome dos antiderivadas de cada ecuación $a_x = 0$ y $a_y = -g$, y de las condiciones iniciales dados en A). Halle las coordenadas x y y de la pelota de ping pong en el tiempo t. Considere que θ_0 es el ángulo de lanzamiento, v_0 es la velocidad inicial.

C) Elimine el parámetro t y determine la trayectoria de cualquier proyectil lanzado a un ángulo menor de 90^0. Bosqueje la gráfica correspondiente.

160.- Gráfica de una curva dada en ecuaciones paramétricas. **Trace la curva dada por las** ecuaciones paramétricas.

$x = t^2 - 4, \quad y = t/2, \quad -2 \le t \le 3.$

1) Diseñe una tabla de 7 columnas y 3 filas. Al iniciar cada fila, coloque: t, x y y.

2) A continuación, trace los puntos (x, y) según el orden de los valores crecientes de t. Las ecuaciones paramétricas representan gráficas en general y no sólo gráficas de funciones (verifíquelo).

3) Finalmente, dibuje flechas sobre la curva, indicando su orientación conforme t aumenta de -2 a 3. Compruebe que $x = 4t^2 - 4, y = t, -1 \le t \le 3/2$, tiene la misma gráfica que la anterior. ¿Qué gráfica se traza más "rápido" (considerando t como tiempo)? ¿Qué tendría que hacer para que la orientación cambiara de sentido?

161.- Gráfica de una curva dada en ecuaciones paramétricas. Grafique la curva que tiene el conjunto indicado de ecuaciones paramétricas.

I) $x = t^2$, $\quad y = t + 1$, $\quad -\infty < t < \infty$. Proceda de forma similar al ejercicio precedente.

II) $x = \sqrt{t}$, $\quad y = 5 - t$, $\quad t \geq 0$.

III) $x = e^t$, $\quad y = e^{3t}$, $\quad 0 \leq t \leq \ln 2$.

162.- Eliminando el parámetro. Elimine el parámetro en $x = t^2 - 2t$, $y = t + 1$. Además, identifique la curva correspondiente y bosqueje su gráfica.

1) De la segunda ecuación, despeje t.
2) Luego, sustituye t en la primera ecuación.
3) A continuación, identifique la cónica y encuentre los elementos clave.
4) Finalmente, muestre la orientación de la curva a través de flechas.

RTA. $x = y^2 - 4y + 3$

163.- Eliminando el parámetro. Elimine los parámetros del conjunto dado de ecuaciones paramétricas y obtenga una ecuación rectangular que tenga la misma gráfica.

I) $x = t^2$, $\quad y = t^4 + 3t^2 - 1$.

II) $x = -\cos 2t$, $\quad y = \operatorname{sen} t$, $\quad -\dfrac{\pi}{4} \le t \le \dfrac{\pi}{4}$.

III) $x = t^3$, $\quad y = 3 \ln t$, $\quad t > 0$.

RTA. I) $y = x^2 + 3x - 1$, $\quad x \ge 0$, $\quad$ II) $x = 2y^2 - 1$, $\quad -1 \le x \le 0$, $\quad$ III) $y = \ln x$, $\quad x > 0$

164.- Parametrización de una recta. Existen diferentes casos y formas, veamos:

I) La recta que pasa por $P(a,b)$ y tiene pendiente m se parametriza mediante:

$$x = a + rt, \qquad y = b + st, \quad -\infty < t < \infty$$

para cualquier r y s (con $r \neq 0$) tal que $m = s/r$.

II) La recta que pasa por $P(a,b)$ y $Q(c,d)$ se parametriza mediante:

$$x = a + t(c - a), \qquad y = b + t(d - b), \quad -\infty < t < \infty.$$

El segmento que va de P a Q corresponde a $0 \leq t \leq 1$. Parametrice la recta:

I) Pasa por $P(3,-1)$ y $m = 4$. Proporciones tres parametrizaciones diferentes.

II) Pasa por $P(4,1)$ y $m = 2$. Proporciones dos parametrizaciones diferentes.

III) Pasa por $A(-2,3)$ y $B(3,6)$. En este ejercicio puede usar suma de vectores (desarrollado en el siguiente capítulo): $\overrightarrow{OP} = \overrightarrow{OA} + \overrightarrow{AP}$, donde P es un punto cualquiera de la recta que pasa por A y B, O es el origen, además, $\overrightarrow{AP}$ es un múltiplo de $\overrightarrow{AB}$, se puede escribir como $\overrightarrow{AP} = t\,\overrightarrow{AB}$, sustituye en $\overrightarrow{OP}$.

RTA. I) $x = 3 + t, y = -1 + 4t$,   II) $x = 4 + t, y = 1 + 2t$ y   III) $x = -2 + 5t, y = 3 + 3t$

165.- Eliminando el parámetro. Elimine el parámetro y determine la forma estándar (canónica u ordinaria) de la ecuación rectangular.

I) Recta que pasa (x_1, y_1) y (x_2, y_2): $x = x_1 + t(x_2 - x_1)$, $y = y_1 + t(y_2 - y_1)$.

II) Circunferencia: $x = h + r \cos \theta$, $y = k + r \operatorname{sen} \theta$.

III) Elipse: $x = h + a \cos \theta$, $y = k + b \operatorname{sen} \theta$.

IV) Hipérbola: $x = h + a \sec \theta$, $y = k + b \tan \theta$.

166.- Determinación de ecuaciones paramétricas. Determine un conjunto de ecuaciones paramétricas para la curva dada. Use las ecuaciones del ejercicio precedente.

I) Recta que pasa $(0,0)$ y $(5,-2)$.

II) Circunferencia con centro $(2,1)$ y $r = 4$.

III) Elipse con vértice $(\pm 5, 0)$ y foco $(\pm 4, 0)$.

IV) Hipérbola con vértice $(\pm 4, 0)$ y foco $(\pm 5, 0)$.

RTA. Las soluciones no son únicas. I) $x = 5t, y = -2t$,   II) $x = 2 + 4\cos\theta, y = 1 + 4\,\text{sen}\,\theta$, III) $x = 5\cos\theta, y = 3\,\text{sen}\,\theta$

167.- Determinación de ecuaciones paramétricas. Halle las ecuaciones paramétricas para la curva dada.

I) $y = 9 - 4x$

II) $4x - y^2 = 5$

III) $(x + 9)^2 + (y - 4)^2 = 49$

RTA. I) $x = t, y = 9 - 4t,$ II) $x = \dfrac{5 + t^2}{4}, y = t$ y III) $x = -9 + 7\cos t, y = 4 + 7\operatorname{sen} t$

168.- Gráfica mediante la simetría. Use simetría para dibujar la curva: $x = t^2 + 1, y = t^3 - 4t$. Considere los puntos correspondientes a $t = 0, \pm 1, \pm 2, \pm 2{,}5$.

1) Recordando conceptos aprendidos en cursos anteriores. Compruebe si las funciones $x(t)$ y $y(t)$ son pares o impares.

2) Luego, analice si existe simetría con respecto a los ejes o al origen, tomando en cuenta los valores de t.

3) Finalmente, une los puntos a través de arcos. Use regla y colores.

169.- Graficación de curvas con GeoGebra. Represente la curva descrita por las ecuaciones paramétricas. Además, indique la dirección de la curva e identifique todos los puntos donde la curva no sea suave.

I) Hipocicloide: $x = 3\cos^3\theta$, $y = 3\,\text{sen}^3\theta$.

II) Cicloide: $x = 2(\theta - \text{sen}\,\theta)$, $y = 2(1 - \cos\theta)$.

III) Hechicera (bruja de Agnesi): $x = 2\cot\theta$, $y = 2\,\text{sen}^2\theta$.

IV) Cicloide alargada: $x = \theta - \dfrac{3}{2}\text{sen}\,\theta$, $y = 1 - \dfrac{3}{2}\cos\theta$.

170.- Determinación de la pendiente y concavidad. Halle dy/dx y d^2y/dx^2, para la función determinada por $x = \cos t$ y $y = \operatorname{sen} t$, $0 < t < 3$. Además, evalúelas en $t = \pi/6$, ¿qué representarían los valores obtenidos? Bosqueje la gráfica correspondiente.

RTA. $-\dfrac{4\sqrt{3}}{5}$ y $-\dfrac{32}{25}$

171.- Determinación de la pendiente de la recta tangente. Halle la ecuación de la recta tangente a la curva dada en el valor dado de t, sin eliminar el parámetro. Además, realice un bosquejo.

I) $x = s^{-1} - 3s, \quad y = s^3, \quad s = -1.$

II) $x = \operatorname{sen} 2\theta, \quad y = \cos 3\theta, \quad \theta = \dfrac{\pi}{6}.$

III) $x = 2t + 9, \quad y = 7t - 9, \quad t = 1.$

RTA. I) $y + 1 = -\dfrac{3}{4}(x - 2)$, II) $y = -3\left(x - \dfrac{\sqrt{3}}{2}\right)$ y III) $y + 2 = \dfrac{7}{2}(x - 11)$

172.- Aplicaciones físicas mediante ecuaciones paramétricas. La trayectoria de una bala hasta el instante que toca el suelo está dada por las ecuaciones paramétricas:

$$c(t) = (80t \, , 200t - 4,9t^2)$$

con t expresado en segundos y la distancia en metros. Determine:
A) La altura de la bala en el instante $t = 5s$.
B) La altura máxima. Realice un bosquejo.

1) Tome como referencia el ejercicio 159.
2) Luego, tenga presente que la gráfica de la altura respecto al tiempo de un objeto que se lanza al aire es una parábola, pero una gráfica en el plano rectangular ambos en metros no es la gráfica de la altura respecto al tiempo, sino mostraría la trayectoria real de la bala, la cual presenta un desplazamiento vertical y uno horizontal.
3) A continuación, para responder la pregunta A), evaluamos en $c(5)$.
4) Finalmente, halle t en el punto crítico de la derivada de la segunda componente de $c(t)$, y sustituye en $c(t)$.

RTA. A) 878 m y B) 2 041 m

173.- Graficación de curvas. Use una graficadora para:

A) Trazar la curva representada por las ecuaciones paramétricas dadas.

B) Hallar $dx/dt, dy/dt$ y dy/dx, para el valor dado del parámetro.

C) Determinar la ecuación de la recta tangente a la curva en el valor dado del parámetro.

D) Trazar la curva y la recta tangente.

I) $x = 2t$, $y = t^2 - 1$, $t = 2$.

II) $x = t^2 - t + 2$, $y = t^3 - 3t$, $t = -1$.

RTA. I) $\dfrac{dx}{dt} = 2, \dfrac{dy}{dt} = 4, \dfrac{dy}{dx} = 2,$ $y = 2x - 5$ y II) $\dfrac{dx}{dt} = -3, \dfrac{dy}{dt} = 0, \dfrac{dy}{dx} = 0,$ $y = 2$

174.- Determinación de puntos de tangencia. Encuentre todos los puntos de tangencia horizontal y vertical (si los hay) a la curva. Use una graficadora para confirmar los resultados.

Si: $\frac{dy}{dt} = 0$ y $\frac{dx}{dt} \neq 0$, cuando $t = t_0$, la curva representada por $x = f(t)$ y $y = g(t)$ tiene tangente horizontal en $(f(t_0), g(t_0))$.

Si: $\frac{dx}{dt} = 0$ y $\frac{dy}{dt} \neq 0$, cuando $t = t_0$, la curva representada por $x = f(t)$ y $y = g(t)$ tiene tangente vertical en $(f(t_0), g(t_0))$.

I) $x = 1 - t$, $\quad y = t^2$.

II) $x = 1 - t$, $\quad y = t^3 - 3t$.

III) $x = 3\cos\theta$, $\quad y = 3\,\text{sen}\,\theta$.

RTA. I) H: $(1,0)$, V: no, $\quad$ II) H: $(0,-2),(2,2)$, V: no y $\quad$ III) H: $(0,3),(0,-3)$, V: $(3,0),(-3,0)$

175.- Determinación de la concavidad. Halle los intervalos de t, donde la curva es cóncava hacia abajo (CHA) o cóncava hacia arriba (CHAR).

I) $x = t^2$, $y = t^3 - t$.

II) $x = 2t + \ln t$, $y = 2t - \ln t$.

III) $x = \operatorname{sen} t$, $y = \cos t$, $0 < t < \pi$.

RTA. I) CHA: $-\infty < t < 0$, CHAR: $0 < t < \infty$, II) CHA: $t > 0$, y III) CHA: $0 < t < \dfrac{\pi}{2}$, CHAR: $\dfrac{\pi}{2} < t < \pi$

176.- Determinación de la longitud de arco. **Determine la longitud de arco de la curva en el intervalo dado. Use:**

$$s = L = \int_{t=a}^{t=b} \sqrt{[f'(t)]^2 + [g'(t)]^2} \; dt = \int_{t=a}^{t=b} \sqrt{\left(\frac{dx}{dt}\right)^2 + \left(\frac{dy}{dt}\right)^2} \; dt.$$

I) $x = t^2$, $y = 2t$, $0 \le t \le 2$.

II) $x = e^{-t}\cos t$, $y = e^{-t}\operatorname{sen} t$, $0 \le t \le \dfrac{\pi}{2}$.

III) Perímetro de una hipocicloide: $x = a\cos^3\theta$, $y = a\operatorname{sen}^3\theta$, $0 \le t \le 2\pi$.

RTA. I) $2\sqrt{5} + \ln(2 + \sqrt{5})$,   II) $\sqrt{2}(1 - e^{-\pi/2})$ y III) $6a$

177.- Determinación del área. Determine el área en los siguientes casos.

I) Elipse: $x = a \cos \theta, y = b \operatorname{sen} \theta, \ 0 \leq \theta \leq 2\pi$. Halle el área encerrada.

II) Curva: $x = 1 + e^t, y = t - t^2$. Halle el área encerrada por el eje x y la curva dada.

III) Halle el área bajo un arco del trocoide: $x = r\theta - d \operatorname{sen} \theta, y = r - d \cos \theta, d < r$.

RTA. I) πab,   II) $3 - e$ y   III) $2\pi r^2 + \pi d^2$

178.- Miscelánea. Determinación del área de una superficie de revolución. Determine el área de las superficies generadas por la rotación de las curvas alrededor de los ejes indicados.

I) $x = t, y = 2t, \ \ 0 \leq t \leq 4;$ \ \ a) eje x \ y \ b) eje y.

II) $x = 4\cos\theta, y = 4\sin\theta, 0 \leq \theta \leq \frac{\pi}{2};$ \ \ eje y.

III) $x = a\cos^3\theta, y = a\sin^3\theta, \ \ \ 0 \leq \theta \leq \pi;$ \ \ eje x.

IV) Calcule el área de la superficie obtenida por rotación de la tractriz: $x = t - \tanh t, y = \operatorname{sech} t$ respecto al eje x para $0 \leq t < \infty$.

RTA. I) a) $32\pi\sqrt{5}$, \ \ \ b) $16\pi\sqrt{5}$, \ \ \ II) 32π, \ \ \ III) $\dfrac{12\pi a^2}{5}$ \ \ y \ IV) 2π

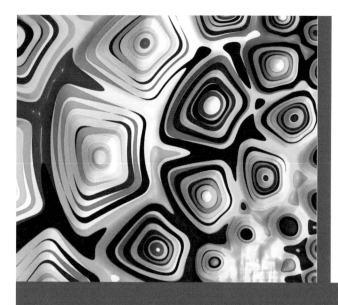

NOTEBOOK II

1.1. Sistemas de coordenadas

1.2. Línea recta

1.3. Ecuación de la circunferencia

1.4. Transformación de coordenadas

1.5. Secciones cónicas. Ecuación general de segundo grado de dos variables

1.6. Sistema de coordenadas polares

1.7. Ecuaciones paramétricas

2.1. Vectores en el plano

Comunicación matemática

1.7) Ecuaciones paramétricas

141.- Indique si el enunciado es verdadero o falso. Justifique.

Enunciado	V o F	Justifique
Una curva C representada por $x = f(t)$ y $y = g(t)$ en un intervalo I, es suave (lisa), si las derivadas de f y g son continuas en I y no son simultáneamente cero, excepto posiblemente en los puntos terminales de I, son curvas que no presentan cortes, esquinas o picos.		Para justificar puede usar un ejemplo, contraejemplo, un gráfico, un esquema, un teorema, una fórmula, etc. que valide su respuesta.
Al aplicar la fórmula de longitud de arco, es necesario que la curva se recorra una sola vez en el intervalo de integración.		
Las ecuaciones paramétricas nos permiten describir el movimiento realizado por los planetas y satélites, o los proyectiles que se mueven en el plano o en el espacio.		
Cuando el punto inicial y final es el mismo esto es $A = B$, entonces C es una curva cerrada.		
La tautócrona está referido al tiempo mínimo.		
Se le conoce como gráfica de las ecuaciones paramétricas, al conjunto de puntos dados por $(x, y) = (f(t), g(t))$ que se obtiene cuando t varía sobre un intervalo I.		
El polígono con vértices $P_0, P_1, P_2, \cdots, P_n$ cuyos puntos sucesivos se unen mediante segmentos de recta, dan una aproximación a la curva C.		
En un punto donde una curva regresa sobre sí misma, la curva no es derivable, o ambas derivadas deben ser simultáneamente igual a cero.		
La astroide es el lugar geométrico de un punto fijo cualquiera de una circunferencia que rueda interiormente, sin resbalar, sobre otra circunferencia fija.		
Si r (es un número entero) es la razón de a y b de modo que $a = rb$, entonces una astroide tendrá r picos.		

142.- Responde las siguientes preguntas:

Pregunta	Responde
1. ¿Qué es una parametrización de C?	
2. El eliminar el parámetro nos permite trazar la gráfica de la curva. Será cierto esto.	
3. Una curva $\cdots$ C o curva $\cdots$ es la unión de la $\cdots$ y las ecuaciones paramétricas.	
4. ¿Cuáles son las dos propiedades físicas más importantes de la cicloide?	
5. ¿Qué es la circunferencia generatriz?	
6. ¿En qué consiste la concavidad de una curva paramétrica?	
7. Una curva suave no pasa dos veces por el mismo lugar ni invierte la dirección del movimiento durante el intervalo I, puesto que $(f')^2 + (g')^2 > 0$, en todo el intervalo. ¿Qué opina?	
8. ¿Qué es una epicicloide? Escribe sus ecuaciones paramétricas.	
9. ¿Qué es la hipocicloide?	
10. ¿Qué se entiende por orientación de la curva?	
11. Un punto en la circunferencia pequeña es el que traza una $\cdots$ en la medida que el círculo pequeño rueda alrededor de la circunferencia grande.	

143.- Responde las siguientes preguntas:

A) Amigo lector, si una trayectoria no pasa la prueba de la recta vertical, entonces no se puede describir la gráfica como una función de una variable x. ¿Por qué?

_____

_____

_____

_____

_____

_____

B) Explique dos propiedades físicas de la cicloide.

_____

_____

_____

_____

_____

_____

_____

_____

C) Explique a través de un esquema las 4 secuencias establecidas, ¿cómo eliminar el parámetro? Use un ejemplo.

_____

_____

_____

_____

_____

_____

_____

_____

_____

D) Si las ecuaciones paramétricas representan la trayectoria de un objeto en movimiento, la gráfica sola no es suficiente para describir su movimiento. Se requieren estas ecuaciones que brinden información acerca de la posición, dirección y velocidad, en un instante determinado de la trayectoria del objeto. ¿Cuál es su comentario?

_____

_____

_____

_____

_____

_____

_____

E) Amigo lector, usted tiene una curva en su cuaderno, ¿cómo podría medir su longitud?

_____

_____

_____

_____

_____

_____

F) Investigue acerca de las curvas de Bézier y sus aplicaciones.

_____

_____

_____

_____

_____

_____

_____

_____

_____

_____

144.- Cicloide. Trace la curva cuyas ecuaciones son $x = \theta - \operatorname{sen}\theta$ y $y = 1 - \cos\theta$. Además, obtenga la ecuación rectangular de la curva.

1) Asigne valores en radianes a θ en función de π. Dibuje una tabla de cinco columnas $(\theta, \operatorname{sen}\theta, \cos\theta, x \text{ y } y)$ y diez o más filas para θ desde 0 hasta 2π. ¿Qué sucede si toma valores fuera del intervalo recomendado?

2) Luego, responde:

2A) La porción de la curva comprendida entre dos cualesquiera de sus intersecciones sucesivas con el eje x, se denomina:

2B) ¿A qué familia pertenece la cicloide?

2C) El punto medio del arco de la cicloide se conoce como:

2D) La porción de la recta fija (eje x) comprendida entre los puntos extremos de un arco se llama: y su longitud es $2\pi a$, que es la longitud de la circunferencia generatriz.

2E) ¿Cómo se llaman los extremos de un arco?

3) Finalmente, para obtener la ecuación rectangular de la cicloide, despeje $\cos\theta$ de la segunda ecuación, forme un triángulo rectángulo, halle el $\operatorname{sen}\theta$, con θ y $\operatorname{sen}\theta$, reemplace en la primera ecuación dada. Adicionalmente, trace la cicloide usando la ecuación rectangular y compárelo con la gráfica obtenida a partir de las ecuaciones paramétricas.

145.- Pendiente de una curva. **Según el teorema 58: Si una curva suave** C **está dada por las ecuaciones paramétricas** $x = f(t)$ y $y = g(t)$, **entonces la pendiente** m **de** C **en el punto** (x, y) **se escribe como:**

$$m = \frac{dy}{dx} = \frac{y'(t)}{x'(t)} = \frac{\dfrac{dy}{dt}}{\dfrac{dx}{dt}}, \qquad \frac{dx}{dt} \neq 0.$$

Demuestre la fórmula.

1) Trace una curva suave C y una recta secante que pasa por los puntos $P(f(t), g(t))$ y $Q(f(t + \Delta t), g(t + \Delta t))$ cuya pendiente está dada por $\Delta y / \Delta x$.
2) Luego, identifique Δy y Δx. Tome el límite a $\Delta y / \Delta x$, cuando $\Delta x \to 0$.
3) A continuación, divide el numerador y denominador por Δt.
4) Finalmente, aplique la propiedad de límites y considere la derivabilidad (diferenciabilidad) de f y g.

146.- Ecuaciones paramétricas de la epicicloide. Amigo lector, determine las ecuaciones paramétricas de la epicicloide. Tome como referencia la figura dada. Describe las características geométricas en forma detallada.

1) Considere $P(x,y)$ un punto cualquiera de la curva, además, a y b son los radios de las circunferencias fija y rodante respectivamente, y C es el centro de la circunferencia rodante o generatriz.

2) Luego, en la figura se observa que la circunferencia generatriz rueda sin resbalar de A hacia B, por lo que se cumple: arco AB=arco PB, que es igual a: $a\theta = b\beta$. Relacione los ángulos β y θ. Deberá obtener $\theta + \beta = \frac{a+b}{b}\theta$.

3) A continuación, halle α, sen α y cos α relacionando ángulos (geometría elemental).

4) Finalmente, encuentre las coordenadas (x,y) del punto P, a partir de sumar y restar segmentos. Obtendrá:

$$x = (a+b)\cos\theta - b\cos\frac{a+b}{b}\theta \quad \text{y} \quad y = (a+b)\operatorname{sen}\theta - b\operatorname{sen}\frac{a+b}{b}\theta.$$

$$x = 5\cos t - \cos 5t$$

$$y = 5\operatorname{sen} t - \operatorname{sen} 5t$$

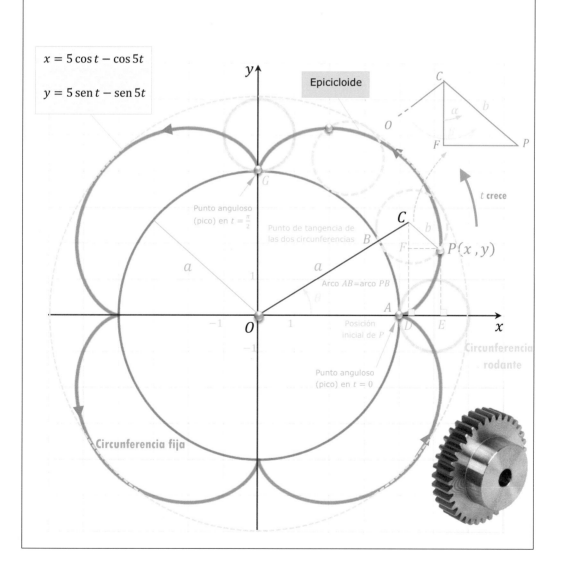

147.- Área de la superficie de revolución. **Según el teorema 61: Si una curva suave** C **dada por las ecuaciones paramétricas siguientes** $x = f(t)$ **y** $y = g(t)$, ($f(t)$ **y** $g(t) \geq 0$) **no se corta así misma en el intervalo dado por** $a \leq t \leq b$, **entonces el área** S **de la superficie de revolución generada por rotación de** C, **entorno al eje** x, **está dada por:**

$$S = 2\pi \int_{t=a}^{t=b} g(t) \sqrt{\left(\frac{dx}{dt}\right)^2 + \left(\frac{dy}{dt}\right)^2} \, dt.$$

Demuestre la fórmula, considerando las figuras adjuntas.

1) Divide el intervalo cerrado $[a,b]$ donde los puntos de la partición permitirán que la gráfica de la curva se subdivida en pequeños arcos.
2) Luego, note que el arco $\overline{PQ}$ que gira alrededor del eje x, el segmento que une a P y Q barre el tronco o cono truncado cuyo eje se encuentra sobre el eje x.
3) A continuación, el área S_k de la superficie de éste tronco (aproxima el área de la superficie de la banda barrida por el arco $\overline{PQ}$) es $2\pi y^* L$, donde $y^* = [f(x_{k-1}) + f(x_k)]/2$, es la altura promedio en el segmento $\overline{PQ}$ y su longitud oblicua $L = \sqrt{(\Delta x_k)^2 + (\Delta y_k)^2}$.
4) Finalmente, sustituye en $S_k = 2\pi$(radio o altura promedio)(longitud oblicua). Resuelve y use el teorema de valor medio: $\Delta y_k = f'(c_k) \, \Delta x_k$. Dele la forma pedida.

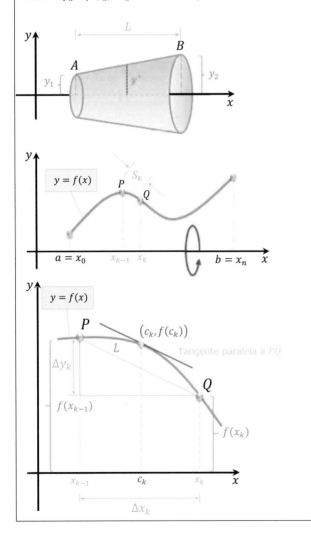

148.- Trazado de curva. Trace la curva dada por las ecuaciones paramétricas.

$x = t^2, \quad y = t^3, \quad -1 \le t \le 2.$

1) Diseñe una tabla de 8 columnas y 3 filas. Al iniciar cada fila, coloque: t, x y y.

2) A continuación, trace los puntos (x, y) según el orden de los valores crecientes de t. Las ecuaciones paramétricas representan gráficas en general y no sólo gráficas de funciones (verifíquelo).

3) Finalmente, dibuje flechas sobre la curva, indicando su orientación conforme t aumenta de -1 a 2. Escribe dos pares de ecuaciones paramétricas que tengan la misma gráfica que la ecuación dada. ¿Qué gráfica se traza más "rápido" (considerando t como tiempo)? ¿Qué tendría que hacer para que la orientación cambiara de sentido?

149.- Trazado de curva. Grafique la curva que tiene el conjunto indicado de ecuaciones paramétricas.

I) $x = -e^t, \quad y = e^{-t}, \quad t \geq 0.$

II) $x = t^3 + 1, \quad y = t^2 - 1, \quad -2 \leq t \leq 2.$

III) $x = 3 + 2 \operatorname{sen} t, \quad y = 4 + \operatorname{sen} t, \quad -\dfrac{\pi}{2} \leq t \leq \dfrac{\pi}{2}.$

150.- Graficación con GeoGebra. Represente la curva descrita por las ecuaciones paramétricas. Además, indique la dirección de la curva e identifique todos los puntos donde la curva no sea suave.

I) Hipocicloide: $x = 5\cos^3\theta$, $y = 5\,\text{sen}^3\,\theta$.

II) Cicloide: $x = \theta + \text{sen}\,\theta$, $\qquad y = 1 - \cos\theta$.

III) Folio de Descartes: $x = \dfrac{3t}{1+t^3}$, $\qquad y = \dfrac{3t^2}{1+t^3}$.

IV) Cicloide alargada: $x = 2\theta - 4\text{sen}\,\theta$, $\qquad y = 2 - 4\cos\theta$.

151.- Use un graficador. Analice la familia de curvas con ecuaciones paramétricas:

$$x = a + \cos t \ \text{y} \ y = a \tan t + \operatorname{sen} t.$$

¿Qué tienen en común dichas curvas? ¿Cómo cambia su forma cuando a crece?

1) Bosqueje en los casos cuando $a = -2, -1$, 0, $0,5$, 1 y 2.

2) Luego, observe si presentan una o dos ramas, analice (si presenta) la asíntota vertical $x = a$, cuando x se aproxima a a por la izquierda o por la derecha.

3) Finalmente, analice por intervalos de acuerdo a los valores de a.

152.- Eliminación del parámetro. Elimine el parámetro en las ecuaciones paramétricas dadas por $x = t^2 + 2t, y = t - 3, -2 \leq t \leq 3$. Además, identifique la curva correspondiente y bosqueje su gráfica.

1) De la segunda ecuación, despeje t.
2) Luego, sustituye t en la primera ecuación.
3) A continuación, identifique la cónica y encuentre los elementos clave.
4) Finalmente, muestre la orientación de la curva a través de flechas.

RTA. $x + 1 = (y + 4)^2$

153.- Eliminación del parámetro. Elimine los parámetros del conjunto dado de ecuaciones paramétricas y obtén una ecuación rectangular que tenga la misma gráfica.

I) $x = \sqrt{1 - t^2}$, $\quad y = t$, $\quad -1 \le t \le 1$.

II) $x = \dfrac{1 - t^2}{1 + t^2}$, $\quad y = \dfrac{2t}{1 + t^2}$, $\quad -1 \le t \le 1$.

III) $x = a \cosh t$, $\quad y = b \operatorname{senh} t$, $\quad -\infty < t < \infty$.

RTA. I) y II) $x^2 + y^2 = 1$, $\quad$ III) $\left(\dfrac{x}{a}\right)^2 - \left(\dfrac{y}{b}\right)^2 = 1$

154.- Determinación de ecuaciones paramétricas. Halle las ecuaciones paramétricas para la curva dada.

I) Recta de pendiente 8 que pasa por $(-4,9)$.

II) Recta que pasa por $(3,1)$ y por $(-5,4)$.

III) Segmento que une $(1,1)$ y $(2,3)$.

IV) Circunferencia de centro $(3,9)$ y $r=4$.

RTA. I) $x = -4 + t, y = 9 + 8t$, II) $x = 3 - 8t, y = 1 + 3t$, III) $x = 1 + t, y = 1 + 2t$ y IV) $x = 3 + 4\cos t, y = 9 + 4\,\text{sen}\,t$

155.- Determinación de ecuaciones paramétricas. Determine la parametrización $c(t)$ de la curva dada, según la condición indicada.

I) $y = 3x - 4$, $c(0) = (2,2)$.

II) $y = x^2$, $c(0) = (3,9)$.

III) $\left(\dfrac{x}{a}\right)^2 - \left(\dfrac{y}{b}\right)^2 = 1$, rama derecha $x > 0$. Use las funciones: $\cosh t$ y $\operatorname{senh} t$.

IV) $x^2 + y^2 = 4$, $c(0) = \left(\dfrac{1}{2}, \dfrac{\sqrt{3}}{2}\right)$.

RTA. I) $x = 2 + t, y = 2 + 3t$ y II) $x = 3 + t, y = (3 + t)^2$

156.- Pendiente y concavidad. Halle dy/dx y d^2y/dx^2, para las funciones dadas sin eliminar el parámetro, ¿qué representarían los valores obtenidos?

I) $x = 3r^2$, $\quad y = 4r^3$, $\ r \neq 0$.

II) $x = 2\theta^2$, $\quad y = \sqrt{5}\,\theta^3$, $\quad \theta \neq 0$.

III) $x = 1 - \cos t$, $\quad y = 1 + \operatorname{sen} t$, $\quad t \neq n\pi$.

RTA. I) $2r$ y $\dfrac{1}{3r}$, II) $\dfrac{3\sqrt{5}}{4}\theta$ y $\dfrac{3\sqrt{5}}{16\theta}$ y III) $\cot t$ y $-\csc^3 t$

157.- Ecuación de la recta tangente. Determine la ecuación de la recta tangente a la curva dada en el valor dado de t, sin eliminar el parámetro. Además, realice un bosquejo.

I) $x = t^2$,　　$y = t^3$,　$t = 2$.

II) $x = 2\sec t$,　　$y = 2\tan t$,　　$t = -\dfrac{\pi}{6}$.

III) $x = t^3$,　　$y = t^2 - 1$,　　$t = -4$.

RTA. I) $y - 8 = 3(x - 4)$,　II) $y + \dfrac{2}{\sqrt{3}} = -2\left(x - \dfrac{4}{\sqrt{3}}\right)$　y III) $y - 15 = -\dfrac{1}{6}(x + 256)$

158.- Aplicación física de ecuaciones paramétricas. Una bala disparada por un revolver sigue la trayectoria $c(t) = (at, bt - 16t^2), a, b > 0$. Pruebe que la bala sale del arma con un ángulo $\theta = \tan^{-1} b/a$ y que llega al suelo a una distancia $ab/16$ del origen. Realice un bosquejo.

Tome como referencia el ejercicio 159 del **NOTEBOOK I**.

159.- Trazo de la curva. Use una graficadora para hallar:

A) Trazar la curva representada por las ecuaciones paramétricas dadas.

B) Halle $dx/dt, dy/dt$ y dy/dx, para el valor dado del parámetro.

C) Determine la ecuación de la recta tangente a la curva en el valor dado del parámetro.

D) Trace la curva y la recta tangente.

I) $x = t - 1$, $\quad y = \dfrac{1}{t} + 1$, $\quad t = 1$.

II) $x = 4\cos\theta$, $\quad y = 3\operatorname{sen}\theta$, $\quad \theta = \dfrac{3\pi}{4}$.

160.- Puntos de tangencia. Halle todos los puntos de tangencia horizontal y vertical (si los hay) a la curva. Use una graficadora para confirmar los resultados. Tengamos presente que:

Si: $\frac{dy}{dt} = 0$ y $\frac{dx}{dt} \neq 0$, cuando $t = t_0$, la curva representada por $x = f(t)$ y $y = g(t)$ tiene tangente horizontal en $(f(t_0), g(t_0))$.

Si: $\frac{dx}{dt} = 0$ y $\frac{dy}{dt} \neq 0$, cuando $t = t_0$, la curva representada por $x = f(t)$ y $y = g(t)$ tiene tangente vertical en $(f(t_0), g(t_0))$.

I) $x = 4 + 2\cos\theta, \quad y = -1 + \text{sen}\,\theta.$

II) $x = \sec\theta, \qquad y = \tan\theta.$

III) $x = \cos\theta + \theta\,\text{sen}\,\theta, \quad y = \text{sen}\,\theta - \theta\cos\theta.$

RTA. I) H: $(4,0), (4,-2)$, V: $(2,-1), (6,-1)$,   II) H: no, V: $(1,0), (-1,0)$

y III) H: $(1,0), (-1,\pi), (1,-2\pi)$, V: $\left(\frac{\pi}{2},1\right), \left(-\frac{3\pi}{2},-1\right), \left(\frac{5\pi}{2},1\right)$

161.- Longitud de arco. Halle la longitud de arco de la curva en el intervalo dado. Use:

$$s = L = \int_{t=a}^{t=b} \sqrt{[f'(t)]^2 + [g'(t)]^2}\; dt = \int_{t=a}^{t=b} \sqrt{\left(\frac{dx}{dt}\right)^2 + \left(\frac{dy}{dt}\right)^2}\; dt.$$

I) $x = \sqrt{t}$, $\quad y = 3t - 1$, $\qquad 0 \leq t \leq 1$.

II) $x = \operatorname{sen}^{-1} t$, $\quad y = \ln\sqrt{1 - t^2}$, $\qquad 0 \leq t \leq \dfrac{1}{2}$.

III) Arco de una cicloide: $x = a\,(\theta - \operatorname{sen}\theta)$, $\quad y = a\,(1 - \cos\theta)$, $\qquad 0 \leq t \leq 2\pi$.

RTA. I) $\dfrac{1}{12}\ln[(\sqrt{37} + 6) + 6\sqrt{37}]$ y III) $8a$

162.- Miscelánea. Determinación del área. Determine el área en los siguientes casos.

I) Halle el área bajo un arco de la cicloide: $x = a\,(t - \operatorname{sen} t), y = a\,(1 - \cos t)$.

II) Halle el área encerrada por la elipse: $x = a \cos t, y = b \operatorname{sen} t, \ 0 \le t \le 2\pi$.

III) Halle el área debajo de $y = x^3$ sobre $[0, 1]$ usando las siguientes parametrizaciones:
a) $x = t^2, y = t^6$
b) $x = t^3, y = t^9$

163.- Miscelánea. Área de superficie de revolución. Determine el área de las superficies generadas por la rotación de las curvas alrededor de los ejes indicados.

I) $x = \cos t, y = 2 + \operatorname{sen} t, \quad 0 \leq t \leq 2\pi; \quad$ eje x.

II) $x = t + \sqrt{2}, y = \dfrac{t^2}{2} + \sqrt{2}\, t, \quad -\sqrt{2} \leq t \leq \sqrt{2}; \quad$ eje y.

III) El segmento de recta que une los puntos $(0\,,1)$ y $(2\,,2)$ se hace girar alrededor del eje x, para generar el tronco de un cono. Halle el área de la superficie del tronco por medio de la parametrización:
$x = 2t, y = t + 1, \quad 0 \leq t \leq 1$. Verifique el resultado con la fórmula geométrica:
$A = \pi(r_1 + r_2)(\text{altura inclinada})$.

RTA. I) $8\pi^2$,   II) $\dfrac{52\pi}{3}$ y III) $3\pi\sqrt{5}$

CAPÍTULO

2

Geometría analítica plana

CONTENIDO:

2.1. Vectores en el plano

2.2. Aplicaciones vectoriales en Geometría analítica plana

- La línea recta
- Ecuación de la circunferencia
- Transformación de coordenadas
- Secciones cónicas
  - Parábola
  - Elipse
  - Hipérbola
- Ecuación general de segundo grado con dos variables

LIBRO 1

Parte IV

1.7. Ecuaciones paramétricas

2.1. Vectores en el plano

Gabriel Loa

MOTIVACIÓN Y COMPETENCIA

Geometría analítica vectorial en 2D

Amigo lector, sabía usted que en el ámbito de la musculación y de los ejercicios de fuerza además del culturismo (que se centra principalmente en conseguir una hipertrofia muscular elevada), existen disciplinas que se centran fundamentalmente en la ganancia de fuerza. En la primera imagen, la deportista olímpica está levantando una haltera (conjunto de la barra y los discos) con un peso superior a ella. El peso es un ejemplo de cantidad vectorial, por tanto, tiene magnitud y dirección. En la segunda imagen, vemos que las torres de enfriamiento tienen la forma de hiperboloides (superficie cuádrica), porque de esta manera requieren una menor cantidad de materiales para su construcción, dándole una fuerza a la estructura del contorno (espesor) que evita el peligro de fisuración debido a la acción de la presión hidráulica del agua y la fuerza del viento. Finalmente, vemos un disco satelital, que es un tipo de antena parabólica en forma de plato diseñada para recibir microondas de los satélites de comunicaciones, que transmiten datos o emisiones, tales como televisión por satélite e internet por satélite. Se caracterizan por llevar un reflector parabólico, cuya superficie es en realidad un paraboloide de revolución (superficie de revolución).

Competencia

Al finalizar el capítulo, el estudiante será capaz de plantear, interpretar y resolver algoritmos, desarrollar estrategias heurísticas, elaborar modelos matemáticos, utilizando los conceptos y fundamentos de Vectores en el plano de forma ordenada y rigurosa en problemas que les permitirá tomar decisiones, mostrando capacidad de trabajo en equipo, perseverancia y confianza al desarrollar situaciones problemáticas de contexto real.

Contenido general

2.1. Vectores en el plano
181. Elementos de un vector.
183. Dirección de un vector (ángulo director).
TEOREMA 62: Propiedades de las operaciones con vectores.
192. Espacio vectorial real.
TEOREMA 63: Vector unitario en la dirección de un vector.
197. Determinación de los componentes de un vector.
202. Modelamiento vectorial aplicado en física.

2.1. Vectores en el plano

179. Introducción:

Amigo lector, en muchas actividades que realizamos en el quehacer cotidiano, medimos longitudes, calculamos masas, obtenemos volúmenes, controlamos el tiempo, soportamos la temperatura del medio, interactuamos con cargas eléctricas, etc. estas cantidades se pueden expresar con un sólo número real y el nombre de la unidad correspondiente, para conocer su magnitud y tamaño. A dichas cantidades se les llama **magnitudes escalares.** Sin embargo, para describir una fuerza, un desplazamiento, un torque o una velocidad se requiere más información. Para describir la

velocidad de un cuerpo debemos saber hacia dónde se dirige, así como la rapidez con la que está viajando (en la primera imagen tenemos a Usain Bolt se dirige hacia la meta, con una rapidez de $9,70\,s$ en promedio, en los 100 metros planos). En el caso de una fuerza, necesitamos conocer en qué dirección actúa, el sentido y su magnitud (en la segunda imagen, el deportista se encuentra sentado en una máquina llamada press pectoral – para desarrollar los pectorales, deltoides, tríceps- la dirección es perpendicular al plano donde apoya su espalda, el sentido es hacia arriba y su magnitud, el peso que está levantando). A estas cantidades se les conoce como **magnitudes vectoriales,** porque su representación es a través de un vector, simbolizado por una flecha, que son segmentos de recta dirigidos.

180. Definición:

Un vector bidimensional es un par ordenado de números reales. Un vector se denota con la letra en negrita $\mathbf{v}, \mathbf{u}$ y $\mathbf{w}$ o $\vec{v}$, y en letras mayúsculas como $\mathbf{P}, \mathbf{Q}$ y $\mathbf{R}$ o $\overrightarrow{P}, \overrightarrow{Q}$ y $\overrightarrow{R}$. Expresado en función de sus componentes es $\langle x, y \rangle$, donde x y y son los componentes del vector $\mathbf{v}$. Los físicos e ingenieros entienden por vector a un segmento rectilíneo dirigido, por ello, la representación estándar del vector $\langle x, y \rangle$ es la flecha del origen $(0,0)$ al punto (x, y). La magnitud del vector es la longitud de la flecha (longitud del vector) y se simboliza como $|\mathbf{v}|$ o $\|\vec{v}\|$. La definición de un vector en el plano mediante sus componentes está dado por:

v_1: Es la componente de $\mathbf{v}$ en la dirección de $\mathbf{i}$.
En cambio, $v_1\mathbf{i}$: es la componente vectorial de $\mathbf{v}$ en la dirección de $\mathbf{i}$.

$$\mathbf{v} = \langle v_1, v_2 \rangle = v_1\,\mathbf{i} + v_1\,\mathbf{j}$$

$\mathbf{i}$ y $\mathbf{j}$: Vectores unitarios estándar

donde v_1 es la primera componente, es la componente en el eje de las abscisas y v_2 es la segunda componente, es la componente en el eje de las ordenadas. En el lado derecho de la ecuación, el vector se expresa en función de los vectores unitarios estándar (artículo 193).

181. Elementos de un vector:

El estudio de los vectores se conoce como análisis vectorial. El análisis vectorial puede estudiarse en forma geométrica o analítica. Si el estudio es geométrico, un vector se define como el segmento rectilíneo dirigido (segmento de recta) que parte desde un punto P y llega hasta un punto Q, que se denota por $\overrightarrow{PQ}$. Se específica un vector como $\mathbf{v} = \overrightarrow{PQ}$, conociendo su longitud (o magnitud) denotado por $\left|\overrightarrow{PQ}\right|$ o $\left\|\overrightarrow{PQ}\right\|$ y su dirección. En la figura 145 se muestra la punta de flecha que representa la dirección, el cual se determina por el ángulo que forma éste con la línea horizontal, generalmente consideramos el eje x positivo. El punto P se denomina punto inicial y el punto Q se llama punto terminal. Cabe mencionar que es más útil describir un vector mediante sus componentes (artículo 197). En general, una cantidad vectorial tiene dos elementos: una **magnitud y una dirección**, y también obedece las leyes de la suma vectorial (artículo 199). Aunque en el artículo 196, estudiaremos una manera más **formal** de escribir un vector, me refiero en términos de sus componentes, los cuales se basan en un conjunto de vectores unitarios.

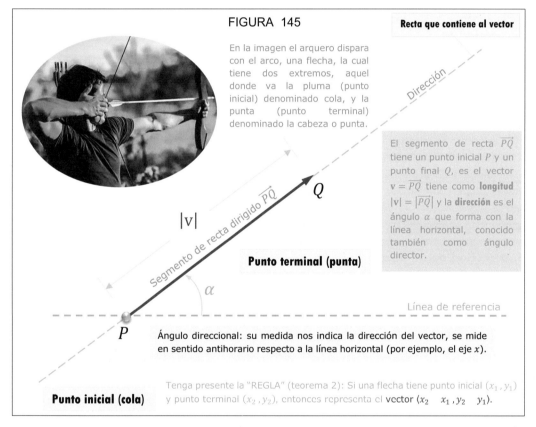

FIGURA 145

Recta que contiene al vector

En la imagen el arquero dispara con el arco, una flecha, la cual tiene dos extremos, aquel donde va la pluma (punto inicial) denominado cola, y la punta (punto terminal) denominado la cabeza o punta.

El segmento de recta $\overrightarrow{PQ}$ tiene un punto inicial P y un punto final Q, es el vector $\mathbf{v} = \overrightarrow{PQ}$ tiene como **longitud** $|\mathbf{v}| = \left|\overrightarrow{PQ}\right|$ y la **dirección** es el ángulo α que forma con la línea horizontal, conocido también como ángulo director.

$|\mathbf{v}|$

Segmento de recta dirigido $\overrightarrow{PQ}$

Q

Punto terminal (punta)

α

Línea de referencia

P

Ángulo direccional: su medida nos indica la dirección del vector, se mide en sentido antihorario respecto a la línea horizontal (por ejemplo, el eje x).

Tenga presente la "REGLA" (teorema 2): Si una flecha tiene punto inicial (x_1, y_1) y punto terminal (x_2, y_2), entonces representa el vector $\langle x_2 - x_1, y_2 - y_1 \rangle$.

Punto inicial (cola)

En la figura 146, el segmento dirigido $\overrightarrow{OP}$ se denomina vector de O a P. Luego, dos segmentos dirigidos son iguales si tienen la misma longitud y dirección, por ejemplo: $\overrightarrow{OP} = \overrightarrow{WS} = \mathbf{v}$ (son vectores **equivalentes**). Por esto se considera que un vector permanece sin cambio si se mueve paralelamente sobre sí mismo, siendo conveniente indicar que cada vector tiene su punto inicial en algún punto de referencia fijo. Es decir, si dicho punto es el origen de coordenadas rectangulares, entonces un vector se puede definir analíticamente en términos de números reales. En conclusión: existe una correspondencia entre los vectores $\langle x, y \rangle$ del plano y los puntos (x, y) del plano. La representación particular de un vector con su punto inicial en el origen se llama representación de posición (posición estándar) del vector (radio-vector).

182. Segmentos dirigidos: Supongamos que tenemos dos puntos en el plano rectangular A y B. Si A y B son puntos distintos, habrá una y sólo una línea que pase a través de ellos. Un segmento de línea es la parte comprendida entre A y B, que incluye a A y B como puntos finales (terminales). Ahora un segmento de línea está **dirigido** cuando los puntos finales están dados en un orden bien definido. Ese mismo segmento determina dos segmentos de línea dirigidos, uno denotado como $\overrightarrow{AB}$ y el otro como $\overrightarrow{BA}$ (o bien, $-\overrightarrow{AB}$). Si A y B coinciden, se afirma que $\overrightarrow{AB}$ está **degenerado**, siendo el segmento de línea, un punto. A pesar que tradicionalmente, a los vectores se le define como **segmentos de línea dirigidos**, la experiencia nos ha enseñado que es preferible suponer que dos segmentos dirigidos representan al mismo vector, conocidos como vectores equivalentes. En la

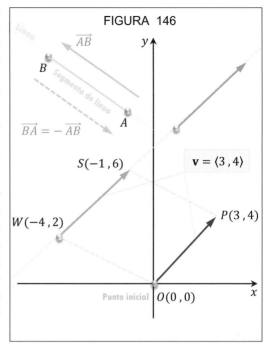

FIGURA 146

figura 146, vemos que los segmentos de línea dirigidos $\overrightarrow{OP}$ y $\overrightarrow{WS}$ son equivalentes si $\overrightarrow{OP}$ y $\overrightarrow{WS}$ tienen la misma longitud y son paralelos y si además, $\overrightarrow{WO}$ (puntos iniciales) y $\overrightarrow{SP}$ (puntos terminales) poseen la misma longitud y son paralelos (es una condición que garantiza que $\overrightarrow{OP}$ no esté dirigido en sentido opuesto a $\overrightarrow{WS}$), verifíquelo. Finalmente, podemos decir que un **vector** se define como un conjunto de segmentos de línea dirigidos equivalentes, por lo que podemos representar un vector mediante cualquiera de dichos segmentos del conjunto, siendo el más adecuado $\overrightarrow{OP}$.

183. Dirección de un vector (ángulo director): Todos los vectores situados sobre una misma recta o rectas paralelas tienen la misma dirección. Sobre cada recta hay dos sentidos opuestos. La recta que contiene el vector determina la dirección del mismo y la orientación sobre la recta, definida por el origen y el extremo del vector, determina el sentido de éste.

184. Vector cero (vector nulo): Cualquier punto (segmento lineal degenerado) representa el vector cero, denotado como $\mathbf{0} = \langle 0, 0 \rangle$. Este vector tiene magnitud cero y carece de dirección, es la excepción a la caracterización intuitiva de vector dada en el artículo 182.

185. Vectores de frontera, vector libre: Algunos autores emplean el nombre de vectores de frontera a los segmentos de línea dirigidos, y vectores libres a los que llamamos simplemente vectores. La idea es que el "vector libre" se puede mover libremente en el espacio, siempre que se le mantenga paralelo a su posición inicial y no cambie su dirección ni magnitud, aunque en realidad si cambia, debido a que tendría nuevos puntos iniciales y nuevos puntos terminales. Mientras que el "vector frontera" no podría moverse en el espacio.

186. Igualdad de vectores: Dos vectores se definen como iguales entre sí, y solamente si son paralelos, tienen la misma dirección y tienen la misma magnitud. Los puntos iniciales (o de partida, puntos de aplicación) no tienen importancia alguna. Los vectores con sus respectivos componentes $\mathbf{a} = \langle a_1, a_2 \rangle$ y $\mathbf{b} = \langle b_1, b_2 \rangle$ son iguales $\mathbf{a} = \mathbf{b}$, si y sólo si $a_1 = b_1$ y $a_2 = b_2$. Algunos autores los denominan equipolentes.

La definición que hemos dado de igualdad es admisible, pues ella cumple con tres propiedades que se exigen a toda definición de igualdad entre elementos de un conjunto, veamos:

i) $\mathbf{a} = \mathbf{a}$ (propiedad reflexiva);

ii) Si $\mathbf{a} = \mathbf{b}$ entonces $\mathbf{b} = \mathbf{a}$ (propiedad simétrica);

iii) Si $\mathbf{a} = \mathbf{b}$ y $\mathbf{b} = \mathbf{c}$ entonces $\mathbf{a} = \mathbf{c}$ (propiedad transitiva).

Con estas propiedades se eliminan otras definiciones que no serían admisibles para la igualdad de vectores, por ejemplo: "dos vectores son iguales cuando sus direcciones son perpendiculares" esta definición no sería admisible por no cumplir con la propiedad iii).

187. Vectores deslizantes y vectores fijos: Estas definiciones se desprenden del artículo 186, es decir, son válidas cuando se trata de vectores iguales con distinta definición. Los vectores deslizantes son vectores iguales cuando tienen el mismo módulo y la misma dirección, además, actúan sobre la misma recta (vea la figura 146), es decir, son vectores que pueden moverse o resbalar (deslizarse) a lo largo de su línea de acción. Las fuerzas son el ejemplo típico de vectores deslizantes, puesto que su efecto no cambia si se trasladan sobre la recta que las contiene, pero varía si se aplican sobre otra recta paralela. Mientras que los vectores fijos tienen la misma definición, con la única diferencia que tienen el mismo origen y no pueden cambiar su posición sin modificar las condiciones del problema.

188. Vector de posición: En la figura 147, el vector posición o canónico (radio-vector) dado por $\mathbf{v} = \langle v_1, v_2 \rangle$ tiene como punto inicial el origen O y punto final (v_1, v_2), los números v_1 y v_2 son los componentes del vector de posición $\mathbf{v}$. Por ejemplo, si un vector se desplazara tres unidades a la derecha y dos unidades hacia arriba, tendrá como punto inicial $P(x, y)$ y un punto final de $Q(x + 3, y + 2)$, por tanto, el vector $\mathbf{u}$ es equivalente al vector de desplazamiento $\overrightarrow{PQ}$.

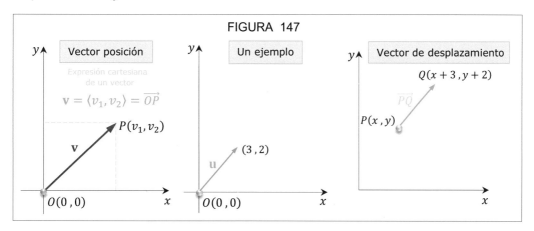

FIGURA 147

189. Aritmética de componentes de vectores: La tabla 33, muestra los vectores dados $\mathbf{v} = \langle v_1, v_2 \rangle$ y $\mathbf{u} = \langle u_1, u_2 \rangle$ en el espacio bidimensional, se cumple:

TABLA 33

Aritmética	Procedimiento
Adición	$\mathbf{v} + \mathbf{u} = \langle v_1 + u_1, v_2 + u_2 \rangle$
Diferencia	$\mathbf{v} + (-\mathbf{u}) = \langle v_1 + (-u_1), v_2 + (-u_2) \rangle = \langle v_1 - u_1, v_2 - u_2 \rangle$
Multiplicación escalar	$k\mathbf{v} = \langle kv_1, kv_2 \rangle, k \in \mathbb{R}$
Igualdad	$\mathbf{v} = \mathbf{u} \rightarrow v_1 = u_1$ y $v_2 = u_2$

Ejemplo ilustrativo 31:

Operaciones con vectores. Para los vectores $\mathbf{v} = \langle 1,4 \rangle, \mathbf{u} = \langle -6,3 \rangle$ y $\mathbf{w} = \langle 0,1 \rangle$, se pide:

a) $\mathbf{v} + \mathbf{u}$: $\mathbf{v} + \mathbf{u} = \langle 1,4 \rangle + \langle -6,3 \rangle \rightarrow \mathbf{v} + \mathbf{u} = \langle 1-6,4+3 \rangle$ $\therefore \mathbf{v} + \mathbf{u} = \langle -5,7 \rangle$.

b) $\mathbf{v} - \mathbf{u}$: $\mathbf{v} - \mathbf{u} = \langle 1,4 \rangle - \langle -6,3 \rangle \rightarrow \mathbf{v} - \mathbf{u} = \langle 1--6,4-3 \rangle$ $\therefore \mathbf{v} - \mathbf{u} = \langle 7,1 \rangle$.

c) $2\mathbf{v} + 3\mathbf{u}$: $2\mathbf{v} + 3\mathbf{u} = 2\langle 1,4 \rangle + 3\langle -6,3 \rangle \rightarrow 2\mathbf{v} + 3\mathbf{u} = \langle 2,8 \rangle + \langle -18,9 \rangle \therefore 2\mathbf{v} + 3\mathbf{u} = \langle -16,17 \rangle$.

d) $\mathbf{v} + \mathbf{w}$: $\mathbf{v} + \mathbf{w} = \langle 1,4 \rangle + \langle 0,1 \rangle \rightarrow \mathbf{v} + \mathbf{w} = \langle 1-0,4+1 \rangle$ $\therefore \mathbf{v} + \mathbf{w} = \langle 1,5 \rangle$.

190. Propiedades de las operaciones con vectores: Sean los vectores $\mathbf{v}, \mathbf{u}$ y $\mathbf{w}$ y los escalares k_1 y k_2, se cumplen las siguientes propiedades de los vectores. El teorema siguiente es muy importante debido a que cualquier ley algebraica para las operaciones de adición vectorial y multiplicación por un escalar en $\mathbb{R}^2$, se puede deducir a partir de las propiedades indicadas en la tabla 34.

TEOREMA 62: Propiedades de las operaciones con vectores. Las propiedades que permiten realizar las operaciones con vectores se muestran en la tabla 34.

TABLA 34

Propiedad	Formalización	Ejemplo ilustrativo
Conmutativa	$\mathbf{v} + \mathbf{u} = \mathbf{u} + \mathbf{v}$	$\langle 1,3 \rangle + \langle -2,5 \rangle = \langle -2,5 \rangle + \langle 1,3 \rangle = \langle -1,8 \rangle$
Asociativa	$\mathbf{v} + (\mathbf{u} + \mathbf{w}) = (\mathbf{v} + \mathbf{u}) + \mathbf{w}$	$\langle 1,2 \rangle + (\langle 3,2 \rangle + \langle 0,1 \rangle) = (\langle 1,2 \rangle + \langle 3,2 \rangle) + \langle 0,1 \rangle = \langle 4,5 \rangle$
Identidad aditiva	$\mathbf{v} + \mathbf{0} - \mathbf{v}$	$\langle -6,2 \rangle + \langle 0,0 \rangle - \langle -6,2 \rangle$
Inverso aditivo	$\mathbf{v} + (-\mathbf{v}) = \mathbf{0}$	$\langle 7,2 \rangle + (-\langle 7,2 \rangle) = \langle 0,0 \rangle$
Distributiva	$k(\mathbf{v} + \mathbf{u}) = k\mathbf{v} + k\mathbf{u}$	$3(\langle 7,5 \rangle + \langle 2,1 \rangle) = 3\langle 7,5 \rangle + 3\langle 2,1 \rangle = \langle 27,18 \rangle$
	$(k_1 + k_2)\mathbf{v} = k_1\mathbf{v} + k_2\mathbf{v}$	$(9+2)\langle 4,6 \rangle = 9\langle 4,6 \rangle + 2\langle 4,6 \rangle = \langle 44,66 \rangle$
Asociativa	$k_1(k_2\mathbf{v}) = (k_1 k_2)\mathbf{v}$	$5(3\langle 1,-4 \rangle) = (5)(3)\langle 1,-4 \rangle = \langle 15,-60 \rangle$
Adicionales	$1\mathbf{v} = \mathbf{v}$ Existencia del idéntico multiplicativo escalar	$1\langle -8,7 \rangle = \langle -8,7 \rangle$
	$0\mathbf{v} = \mathbf{0}$	$0\langle -3,3 \rangle = \langle 0,0 \rangle$
El vector cero o nulo se define como: $\mathbf{0} = \langle 0,0 \rangle$		

191. Demostración: Desarrollaremos la propiedad asociativa de la suma de los vectores y sus respectivos componentes $\mathbf{v} = \langle v_1, v_2 \rangle, \mathbf{u} = \langle u_1, u_2 \rangle$ y $\mathbf{w} = \langle w_1, w_2 \rangle$, similar a la propiedad asociativa de la suma de los números reales (revise el libro de Precálculo).

$$(\mathbf{v} + \mathbf{u}) + \mathbf{w} = [\langle v_1, v_2 \rangle + \langle u_1, u_2 \rangle] + \langle w_1, w_2 \rangle = [\langle v_1 + u_1, v_2 + u_2 \rangle] + \langle w_1, w_2 \rangle$$

$$= \langle (v_1 + u_1) + w_1, (v_2 + u_2) + w_2 \rangle = \langle v_1 + (u_1 + w_1), v_2 + (u_2 + w_2) \rangle$$

$$= \langle v_1, v_2 \rangle + \langle u_1 + w_1, u_2 + w_2 \rangle = \mathbf{v} + (\mathbf{u} + \mathbf{w}).$$

A continuación, demostraremos la propiedad distributiva de la multiplicación escalar con un vector, se procede de forma similar a la propiedad distributiva de los números reales.

$$(k_1 + k_2)\mathbf{v} = (k_1 + k_2)\langle v_1, v_2 \rangle = \langle (k_1 + k_2)v_1, (k_1 + k_2)v_2 \rangle = \langle k_1 v_1 + k_2 v_1, k_1 v_2 + k_2 v_2 \rangle$$

$$= \langle k_1 v_1, k_1 v_2 \rangle + \langle k_2 v_1, k_2 v_2 \rangle = k_1 \langle v_1, v_2 \rangle + k_2 \langle v_1, v_2 \rangle = k_1 \mathbf{v} + k_2 \mathbf{v}.$$

Luego, en la propiedad conmutativa de vectores, se emplea la propiedad conmutativa de los números reales.

$$\mathbf{v} + \mathbf{u} = \langle v_1, v_2 \rangle + \langle u_1, u_2 \rangle = \langle v_1 + u_1, v_2 + u_2 \rangle = \langle u_1 + v_1, u_2 + v_2 \rangle = \langle u_1, u_2 \rangle + \langle v_1, v_2 \rangle = \mathbf{u} + \mathbf{v}.$$

Finalmente, demostraremos la propiedad del producto de un escalar con la suma de vectores:

$$k(\mathbf{v} + \mathbf{u}) = k[\langle v_1, v_2 \rangle + \langle u_1, u_2 \rangle] = k[\langle v_1 + u_1, v_2 + u_2 \rangle] = \langle k(v_1 + u_1), k(v_2 + u_2) \rangle$$

$$= \langle (kv_1 + ku_1), (kv_2 + ku_2) \rangle = \langle kv_1, kv_2 \rangle + \langle ku_1, ku_2 \rangle = k\langle v_1, v_2 \rangle + k\langle u_1, u_2 \rangle.$$

192. Espacio vectorial real: Un espacio vectorial real V es un conjunto de elementos denominados vectores, y escalares al conjunto de números reales, con dos operaciones conocidas como adición vectorial y multiplicación por un escalar, tal que para cada par de vectores $\mathbf{v}$ y $\mathbf{u}$ en V y para cualquier escalar k, se definen los vectores $\mathbf{v} + \mathbf{u}$ y $k\mathbf{v}$ de modo que las propiedades dadas en la tabla 34 del teorema 62 se cumplan.

193. Magnitud (norma) y dirección de un vector: Sean $P(p_1, p_2)$ y $Q(q_1, q_2)$ los puntos inicial y final de un segmento de recta dirigido, y el vector $\mathbf{v}$ representado como $\overrightarrow{PQ}$, en función de sus componentes: $\mathbf{v} = \overrightarrow{PQ} = Q - P : \langle v_1, v_2 \rangle = (q_1, q_2) - (p_1, p_2) = (q_1 - p_1, q_2 - p_2)$. Donde v_1 y v_2 se denominan componente horizontal y vertical de $\mathbf{v}$ respectivamente. La fórmula de la magnitud de $\mathbf{v}$, denotado $|\mathbf{v}|$ se obtiene a partir del teorema de Pitágoras (figura 148), así:

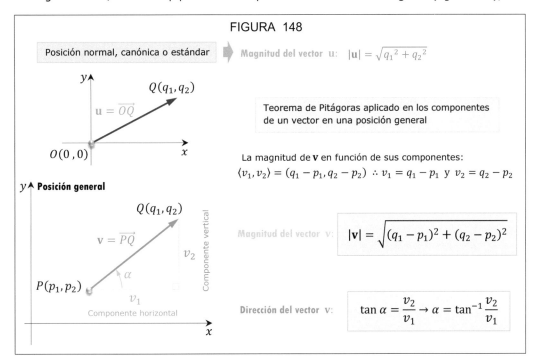

FIGURA 148

Posición normal, canónica o estándar

Magnitud del vector $\mathbf{u}$: $|\mathbf{u}| = \sqrt{q_1{}^2 + q_2{}^2}$

Teorema de Pitágoras aplicado en los componentes de un vector en una posición general

La magnitud de $\mathbf{v}$ en función de sus componentes:
$$\langle v_1, v_2 \rangle = (q_1 - p_1, q_2 - p_2) \therefore v_1 = q_1 - p_1 \ y \ v_2 = q_2 - p_2$$

Magnitud del vector $\mathbf{v}$: $|\mathbf{v}| = \sqrt{(q_1 - p_1)^2 + (q_2 - p_2)^2}$

Dirección del vector $\mathbf{v}$: $\tan \alpha = \dfrac{v_2}{v_1} \rightarrow \alpha = \tan^{-1} \dfrac{v_2}{v_1}$

Ejemplo ilustrativo 32:

Gráfica de un vector. Represente un vector de 10 centímetros con un ángulo de inclinación de 45^0 respecto al semieje x positivo. Usando una regla medimos la longitud pedida y con un transportador señalamos el ángulo, tal como se muestra en la figura 149.

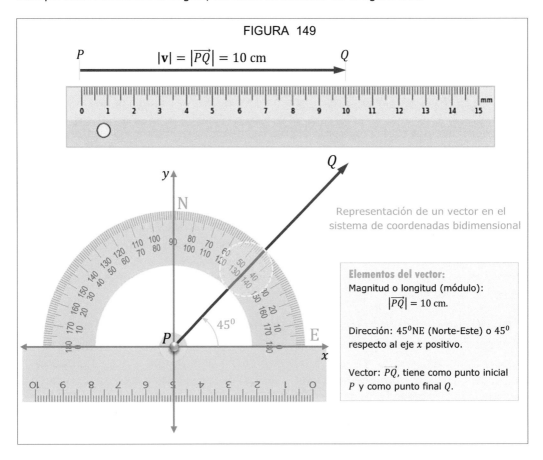

FIGURA 149

Ejercicio 118:

Elementos de un vector. En la figura 150, halle la magnitud y dirección del vector **v**. Cada cuadradito tiene una longitud de una unidad (1u).

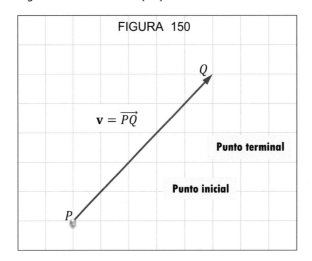

Pasos:

1. Note que este ejercicio lo puede resolver con una regla y un transportador, como el ejercicio anterior. Esta vez lo hacemos en forma analítica. Para conocer la magnitud (tamaño del vector) de **v** aplicamos el teorema de Pitágoras, contamos los cuadrados desde el punto inicial (cola) hacia la derecha (son 5 casilleros), luego subimos 5 casilleros hasta el punto final o terminal (cabeza) del vector, así:

$$|\vec{PQ}| = \sqrt{5^2 + 5^2} \quad \rightarrow |\vec{PQ}| = \sqrt{50} \quad \therefore |\vec{PQ}| = 7{,}1 \text{ u.}$$

2. Luego, la dirección es la medida del ángulo que forma el vector $\vec{PQ}$ con un eje paralelo al eje x. Sabemos la longitud de los catetos, el cateto adyacente mide 5 u, y el cateto opuesto también 5 u, los catetos y el vector forman un triángulo rectángulo isósceles, por lo que el ángulo es de 45^0, como se observa en la figura 151.

FIGURA 151

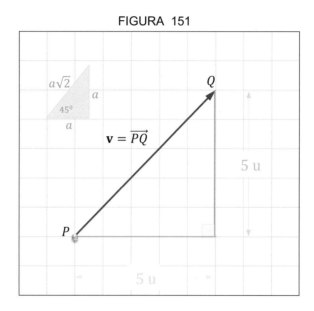

3. Finalmente, la magnitud es 7,1 u y la dirección del vector **v** es 45^0.

Ejercicio 119:

Vectores equivalentes. Se tiene el vector **v** representado por el segmento de recta dirigido que va de $(0,0)$ a $(3,2)$, y el vector **u** representado por el segmento de recta dirigido que va de $(1,2)$ a $(4,4)$. Demuestre que tienen la misma longitud y la misma dirección. A este tipo de vectores se les llama vectores equivalentes.

Pasos:

1. Sean $P(0,0)$ y $Q(3,2)$ los puntos inicial y final del vector **v**, y $R(1,2)$ y $S(4,4)$ los puntos inicial y final del vector **u**. Para saber que $\mathbf{v} = \vec{PQ}$ y $\mathbf{u} = \vec{ST}$, tienen la misma longitud, usemos la fórmula de distancia entre dos puntos, veamos:

$$|\vec{PQ}| = \sqrt{(3-0)^2 + (2-0)^2} \quad \therefore |\vec{PQ}| = \sqrt{13}$$

$$|\vec{RS}| = \sqrt{(4-1)^2 + (4-2)^2} \quad \therefore |\vec{RS}| = \sqrt{13}.$$

2. Luego, para saber que tienen la misma dirección $\vec{PQ}$ y $\vec{ST}$ calculemos sus pendientes m:

$$m_{\vec{PQ}} = \frac{2-0}{3-0} \quad \rightarrow m_{\vec{PQ}} = \frac{2}{3} \quad \text{y} \quad m_{\vec{RS}} = \frac{4-2}{4-1} \quad \rightarrow m_{\vec{RS}} = \frac{2}{3}.$$

3. Finalmente, los dos vectores tienen la misma longitud y dirección.

Ejercicio 120:

Componentes de un vector. Determine los componentes y la longitud del vector **v** que tiene el punto inicial $(3,-7)$ y el punto final $(-2,5)$.

Pasos:
1. Identifiquemos los puntos coordenados $P(3,-7) = P(p_1,p_2)$ y $Q(-2,5) = Q(q_1,q_2)$, siendo los componentes de $\mathbf{v} = \langle v_1, v_2 \rangle$, los cuales se obtienen como sigue:

$$v_1 = q_1 - p_1 \rightarrow v_1 = -2-3 \therefore v_1 = -5 \text{ y } v_2 = q_2 - p_2 \rightarrow v_2 = 5--7 \therefore v_2 = 12$$

$$\therefore \mathbf{v} = \langle -5,12 \rangle.$$

2. Finalmente, conociendo $\mathbf{v} = \langle -5,12 \rangle = \langle v_1, v_2 \rangle$ aplicamos el teorema de Pitágoras, así:

$$|\mathbf{v}| = \sqrt{v_1{}^2 + v_2{}^2} \quad \rightarrow |\mathbf{v}| = \sqrt{(-5)^2 + (12)^2} \quad \therefore |\mathbf{v}| = \|\mathbf{v}\| = 13.$$

194. Vector unitario: Un vector que tiene magnitud de uno recibe el nombre de vector unitario o **versor**, así $|\mathbf{u}| = \|\mathbf{u}\| = 1$, entonces decimos que **u** es un vector unitario.

TEOREMA 63: Vector unitario en la dirección de un vector a. Si a es un vector distinto de cero en el plano, entonces tenemos el vector u dado, de longitud uno y de la misma dirección que a.

195. Demostración: Sea el vector unitario **u** en la misma dirección que un vector **a** distinto de cero. Al proceso de multiplicar **a** por el escalar positivo $k = 1/|\mathbf{a}|$ (recíproco de la magnitud de **a**) para obtener un vector unitario, donde $\mathbf{u} = k\mathbf{a} \rightarrow \mathbf{u} = (1/|\mathbf{a}|)\mathbf{a}$, se denomina **normalización** del vector **a**. Se cumple que:

$$\mathbf{u} = k\mathbf{a} \rightarrow \mathbf{u} = \left(\frac{1}{|\mathbf{a}|}\right)\mathbf{a} \rightarrow |\mathbf{u}| = \left|\left(\frac{1}{|\mathbf{a}|}\right)\mathbf{a}\right| \rightarrow |\mathbf{u}| = \frac{|\mathbf{a}|}{|\mathbf{a}|} \quad \therefore |\mathbf{u}| = 1$$

en general, se escribe el vector unitario **u** como se muestra:

$$\mathbf{u} = \frac{\mathbf{a}}{|\mathbf{a}|}, \mathbf{a} \neq \mathbf{0}.$$

Amigo lector, recuerde siempre: un vector es igual a su longitud por un vector unitario, así:
$$\mathbf{a} = |\mathbf{a}|\mathbf{u}$$

Ejercicio 121:

Determinación del vector unitario. Obtenga el vector unitario de $\mathbf{v} = \langle 2,-1 \rangle$ según se indica:
a) En la misma dirección de **v**.
b) En la dirección opuesta de **v**.
c) Bosqueje la gráfica de los vectores **v**, **u** y $-\mathbf{u}$.
d) Etiquete cada vector con sus componentes.

Pasos:

1. Calculemos la magnitud del vector **v** sabiendo que el punto inicial es el origen de coordenadas, es decir, **v** es un vector posición (artículo 188), conocido también como vector en posición normal (canónica o estándar), veamos:

$$\mathbf{v} = \langle 2, -1 \rangle = \langle v_1, v_2 \rangle \rightarrow |\mathbf{v}| = \sqrt{v_1{}^2 + v_2{}^2} \rightarrow |\mathbf{v}| = \sqrt{(2)^2 + (-1)^2} \quad \therefore |\mathbf{v}| = \sqrt{5}.$$

2. Luego, sea **u** el vector unitario en la misma dirección de **v**, se obtiene:

$$\mathbf{u} = \frac{1}{|\mathbf{v}|}\mathbf{v} \rightarrow \mathbf{u} = \frac{1}{\sqrt{5}}\langle 2, -1 \rangle \quad \therefore \mathbf{u} = \langle \frac{2}{\sqrt{5}}, -\frac{1}{\sqrt{5}} \rangle.$$

3. Finalmente, un vector unitario en la dirección opuesta de **v** = −**u** se calcula como sigue:

$$-\mathbf{u} = -\frac{1}{|\mathbf{v}|}\mathbf{v} \rightarrow -\mathbf{u} = -\frac{1}{\sqrt{5}}\langle 2, -1 \rangle \quad \therefore -\mathbf{u} = \langle -\frac{2}{\sqrt{5}}, \frac{1}{\sqrt{5}} \rangle.$$

La figura 152, muestra los vectores **v**, **u** y −**u**.

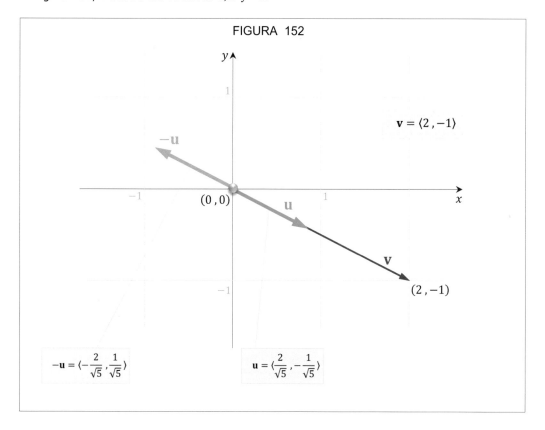

FIGURA 152

Ejercicio 122:

Determinación del vector unitario. Halle el vector unitario en la dirección de $\mathbf{v} = \langle 1, -3 \rangle$, y verificar que tiene longitud uno.

Pasos:

1. Calculamos la magnitud del vector **v**:

$$\mathbf{v} = \langle 1, -3 \rangle = \langle v_1, v_2 \rangle \rightarrow |\mathbf{v}| = \sqrt{v_1{}^2 + v_2{}^2} \rightarrow |\mathbf{v}| = \sqrt{(1)^2 + (-3)^2} \quad \therefore |\mathbf{v}| = \sqrt{10}.$$

2. A continuación, el vector unitario $\mathbf{u}$ en la misma dirección de $\mathbf{v}$ se obtiene así:

$$\mathbf{u} = \frac{1}{|\mathbf{v}|}\mathbf{v} \rightarrow \mathbf{u} = \frac{1}{\sqrt{10}}\langle 1, -3 \rangle \qquad \therefore \mathbf{u} = \langle \frac{1}{\sqrt{10}}, -\frac{3}{\sqrt{10}} \rangle = \langle u_1, u_2 \rangle.$$

3. Finalmente, la longitud del vector unitario se obtiene con la fórmula de Pitágoras:

$$|\mathbf{u}| = \sqrt{u_1{}^2 + u_2{}^2} \rightarrow |\mathbf{u}| = \sqrt{\left(\frac{1}{\sqrt{10}}\right)^2 + \left(-\frac{3}{\sqrt{10}}\right)^2} \quad \therefore |\mathbf{u}| = \sqrt{\frac{10}{10}} = 1.$$

DEBES SABER QUE:
Amigo lector, si $|\mathbf{v}| = 0$ si y sólo si $\mathbf{v}$ es el vector cero $\mathbf{0}$, no se confunda con el origen $(0, 0)$ o también denotado por la letra mayúscula O.

196. Vectores unitarios, canónicos o base estándar: Son los vectores en el plano definidos como $\langle 1, 0 \rangle$ y $\langle 0, 1 \rangle$ y se simboliza como:

$$\mathbf{i} = \langle 1, 0 \rangle \ \ y \ \ \mathbf{j} = \langle 0, 1 \rangle$$

estos vectores pueden usarse para representar cualquier vector de manera única, así:

Se da la forma   Se factoriza

$$\mathbf{v} = \langle v_1, v_2 \rangle = \langle v_1, 0 \rangle + \langle 0, v_2 \rangle = v_1\langle 1, 0 \rangle + v_2\langle 0, 1 \rangle \ \therefore \ \boxed{\mathbf{v} = v_1\mathbf{i} + v_2\mathbf{j}}$$

Combinación lineal de $\mathbf{i}$ y $\mathbf{j}$

La representación de la posición de los vectores $\mathbf{i}$ y $\mathbf{j}$ se muestra en la figura 153. La ecuación dad por $\mathbf{v} = \langle v_1, v_2 \rangle = v_1\mathbf{i} + v_2\mathbf{j}$ establece que cualquier vector de V_2 (espacio vectorial en el plano) puede escribirse como una combinación lineal de $\mathbf{i}$ y $\mathbf{j}$. Los vectores unitarios, canónicos o estándar forman una base para V_2, debido a que son independientes, es decir, sus representaciones no son colineales.

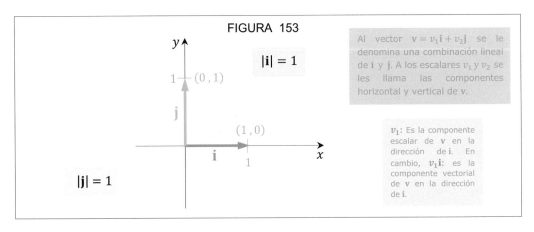

FIGURA 153

Al vector $\mathbf{v} = v_1\mathbf{i} + v_2\mathbf{j}$ se le denomina una combinación lineal de $\mathbf{i}$ y $\mathbf{j}$. A los escalares v_1 y v_2 se les llama las componentes horizontal y vertical de $\mathbf{v}$.

v_1: Es la componente escalar de $\mathbf{v}$ en la dirección de $\mathbf{i}$. En cambio, $v_1\mathbf{i}$: es la componente vectorial de $\mathbf{v}$ en la dirección de $\mathbf{i}$.

DEBES SABER QUE:
Amigo lector, el número de elementos de una base de un espacio vectorial se denomina **dimensión** del espacio vectorial, por ejemplo, V_2 representa un espacio vectorial bidimensional o de dos dimensiones (espacio 2).

Ejercicio 123:

Vectores unitarios canónicos. Sea el vector **u** con punto inicial $(2, -5)$ y punto final $(-1, 3)$, y sea **v** $= 2\mathbf{i} - \mathbf{j}$. Exprese cada vector como combinación lineal de **i** y **j**. a) **u** y b) **w** $= 2\mathbf{u} - 3\mathbf{v}$.

Pasos:

1. Con los componentes de los puntos inicial y final obtenemos el vector **u**, así:

$$\text{Si } (p_1, p_2) = (2, -5) \text{ y } (q_1, q_2) = (-1, 3) \to \mathbf{u} = \langle q_1 - p_1, q_2 - p_2 \rangle \to \mathbf{u} = \langle -1 - 2, 3 - -5 \rangle$$

$$\to \mathbf{u} = \langle -3, 8 \rangle \qquad \therefore \mathbf{u} = -3\,\mathbf{i} + 8\,\mathbf{j}.$$

2. Finalmente, de forma análoga se desarrolla el vector **w**, conociendo $\mathbf{u} = \langle -3, 8 \rangle = -3\mathbf{i} + 8\mathbf{j}$, y **v** $= 2\mathbf{i} - \mathbf{j}$, empleando la multiplicación escalar (multiplicación de un escalar con un vector: artículo 189), veamos:

$$\mathbf{w} = 2\mathbf{u} - 3\mathbf{v} \to \mathbf{w} = 2\langle -3\mathbf{i} + 8\mathbf{j} \rangle - 3\langle 2\mathbf{i} - \mathbf{j} \rangle \to \mathbf{w} = -6\mathbf{i} + 16\mathbf{j} - 6\mathbf{i} + 3\mathbf{j} \qquad \therefore \mathbf{w} = -12\,\mathbf{i} + 19\,\mathbf{j}.$$

197. Determinación de los componentes de un vector: En el primer capítulo estudiamos los sistemas de coordenadas rectangulares (cartesianas) y polares. En el sistema de coordenadas polares de coordenadas (r, θ) donde r (radio vector) es la distancia desde el origen hasta el punto que tiene coordenadas cartesianas (x, y) y θ es el ángulo entre un eje fijo (eje x positivo) y una recta dibujada desde el origen hasta el punto mencionado y se mide en sentido contrario a las manecillas del reloj. Al determinar los componentes del vector v, estamos realizando la descomposición rectangular (descomposición vectorial) en dos vectores componentes $\mathbf{v}_x$ y $\mathbf{v}_y$ que tienen direcciones mutuamente perpendiculares cuya longitud (magnitud) son respectivamente $|\mathbf{v}| \cos \theta$ y $|\mathbf{v}| \operatorname{sen} \theta$ y para obtenerlos empleamos las coordenadas polares y las coordenadas cartesianas, tal como se muestra en la figura 154.

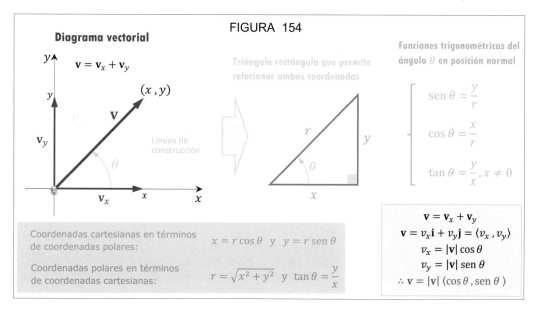

FIGURA 154

Diagrama vectorial

$\mathbf{v} = \mathbf{v}_x + \mathbf{v}_y$

Triángulo rectángulo que permite relacionar ambas coordenadas

Funciones trigonométricas del ángulo θ en posición normal

$$\operatorname{sen} \theta = \frac{y}{r}$$

$$\cos \theta = \frac{x}{r}$$

$$\tan \theta = \frac{y}{x}, x \neq 0$$

Coordenadas cartesianas en términos de coordenadas polares: $x = r \cos \theta \ \text{y} \ y = r \operatorname{sen} \theta$

Coordenadas polares en términos de coordenadas cartesianas: $r = \sqrt{x^2 + y^2} \ \text{y} \ \tan \theta = \frac{y}{x}$

$$\mathbf{v} = \mathbf{v}_x + \mathbf{v}_y$$
$$\mathbf{v} = v_x \mathbf{i} + v_y \mathbf{j} = \langle v_x, v_y \rangle$$
$$v_x = |\mathbf{v}| \cos \theta$$
$$v_y = |\mathbf{v}| \operatorname{sen} \theta$$
$$\therefore \mathbf{v} = |\mathbf{v}| \langle \cos \theta, \operatorname{sen} \theta \rangle$$

Ejercicio 124:

Determinación de las componentes de un vector. Exprese el vector $\langle -5, -2 \rangle$, en función del coseno, seno de un ángulo y los vectores **i** y **j**.

Pasos:

1. La figura 155 muestra el vector **v** cualquiera de V_2 y el vector $\langle -5, -2 \rangle$.

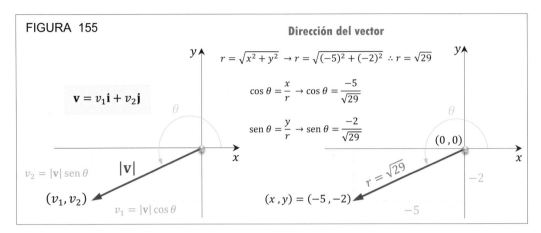

FIGURA 155

Dirección del vector

$r = \sqrt{x^2 + y^2} \rightarrow r = \sqrt{(-5)^2 + (-2)^2} \therefore r = \sqrt{29}$

$\cos\theta = \dfrac{x}{r} \rightarrow \cos\theta = \dfrac{-5}{\sqrt{29}}$

$\operatorname{sen}\theta = \dfrac{y}{r} \rightarrow \operatorname{sen}\theta = \dfrac{-2}{\sqrt{29}}$

$\mathbf{v} = v_1\mathbf{i} + v_2\mathbf{j}$

$v_2 = |\mathbf{v}|\operatorname{sen}\theta \qquad |\mathbf{v}|$

(v_1, v_2)

$v_1 = |\mathbf{v}|\cos\theta$

$(0,0)$

$r = \sqrt{29}$

$(x, y) = (-5, -2)$

2. Luego, sea el vector $\mathbf{v} = v_1\mathbf{i} + v_2\mathbf{j}$ en términos de su módulo, del coseno y seno de su ángulo director θ y de los vectores unitarios canónicos, cuyos componentes (vea la figura 155) están dados por:

$$v_1 = |\mathbf{v}|\cos\theta \ \text{ y } \ v_2 = |\mathbf{v}|\operatorname{sen}\theta$$

sustituimos en **v**:

$$\mathbf{v} = |\mathbf{v}|\cos\theta\,\mathbf{i} + |\mathbf{v}|\operatorname{sen}\theta\,\mathbf{j} \quad \therefore \mathbf{v} = |\mathbf{v}|(\cos\theta\,\mathbf{i} + \operatorname{sen}\theta\,\mathbf{j}).$$

3. A continuación, calculamos la longitud del vector $\mathbf{v} = \langle -5, -2 \rangle = \langle v_1, v_2 \rangle = \langle x, y \rangle$, así:

$$r = |\langle -5, -2 \rangle| = \sqrt{(-5)^2 + (-2)^2} \rightarrow |\langle -5, -2 \rangle| = \sqrt{29}.$$

De acuerdo a la figura 155 y al artículo 197, tenemos:

$$v_1 = |\mathbf{v}|\cos\theta \rightarrow -5 = \sqrt{29}\cos\theta \ \text{ y } \ v_2 = |\mathbf{v}|\operatorname{sen}\theta \rightarrow -2 = \sqrt{29}\operatorname{sen}\theta$$

$$\cos\theta = \frac{x}{r} \rightarrow \cos\theta = \frac{-5}{\sqrt{29}} \ \text{ y } \ \operatorname{sen}\theta = \frac{y}{r} \rightarrow \operatorname{sen}\theta = \frac{-2}{\sqrt{29}}.$$

4. Finalmente, obtenemos el vector pedido:

$$\mathbf{v} = |\mathbf{v}|(\cos\theta\,\mathbf{i} + \operatorname{sen}\theta\,\mathbf{j}) \ \rightarrow \langle -5, -2 \rangle = \sqrt{29}\left(\frac{-5}{\sqrt{29}}\mathbf{i} + \frac{-2}{\sqrt{29}}\mathbf{j}\right).$$

Ejercicio 125:

Determinación de las componentes de un vector. Halle las componentes del vector **b** con ángulo de dirección 115^0 y magnitud seis.

Pasos:

1. Sean b_1 y b_2 las componentes horizontal y vertical respectivamente de **b**, se cumple:

$$\mathbf{b} = |\mathbf{b}|(\cos\theta\,\mathbf{i} + \operatorname{sen}\theta\,\mathbf{j}) \leftrightarrow \mathbf{b} = \langle |\mathbf{b}|\cos\theta, |\mathbf{b}|\operatorname{sen}\theta \rangle \ \rightarrow \langle b_1, b_2 \rangle = \langle 6\cos 115^0, 6\operatorname{sen} 115^0 \rangle.$$

2. Luego, obtenemos los valores de $b_1 = 6\cos 115^0 \approx -2,54$ y $b_2 = 6\,\text{sen}\,115^0 \approx 5,44$.

3. Finalmente, la figura 156 muestra el vector **b** y sus componentes.

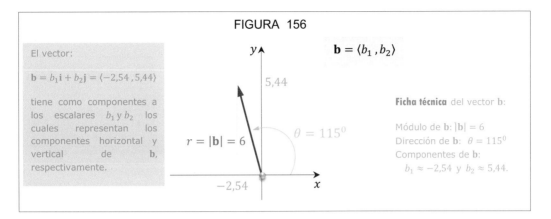

FIGURA 156

El vector:

$\mathbf{b} = b_1\mathbf{i} + b_2\mathbf{j} = \langle -2,54\,,5,44 \rangle$

tiene como componentes a los escalares b_1 y b_2 los cuales representan los componentes horizontal y vertical de **b**, respectivamente.

$\mathbf{b} = \langle b_1\,,b_2 \rangle$

$r = |\mathbf{b}| = 6$

$\theta = 115^0$

$-2,54$

5,44

Ficha técnica del vector b:

Módulo de **b**: $|\mathbf{b}| = 6$
Dirección de **b**: $\theta = 115^0$
Componentes de **b**:
$b_1 \approx -2,54$ y $b_2 \approx 5,44$.

Ejercicio 126:

Determinación de la magnitud y dirección de vectores. Halle la magnitud y el ángulo de dirección de los vectores dados: A) $\mathbf{v} = \langle 3\,,2 \rangle$, B) $\mathbf{u} = \langle -2\,,-5 \rangle$.

Pasos:

1. La figura 157 muestra ambos vectores.

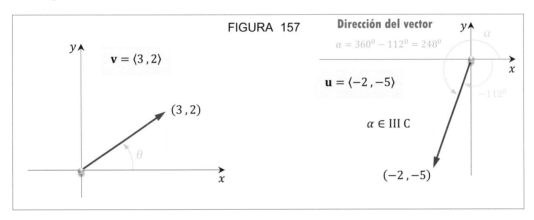

FIGURA 157

$\mathbf{v} = \langle 3\,,2 \rangle$

$(3\,,2)$

θ

Dirección del vector

$\alpha = 360^0 - 112^0 = 248^0$

$\mathbf{u} = \langle -2\,,-5 \rangle$

$\alpha \in \text{III C}$

$(-2\,,-5)$

α

-112^0

2. Luego, sustituimos en $\mathbf{v} = \langle v_1, v_2 \rangle = \langle |\mathbf{v}|\cos\theta, |\mathbf{v}|\,\text{sen}\,\theta \rangle$ y $\mathbf{u} = \langle u_1, u_2 \rangle = \langle |\mathbf{u}|\cos\alpha, |\mathbf{u}|\,\text{sen}\,\alpha \rangle$:

$v_1 = |\mathbf{v}|\cos\theta:\quad 3 = \sqrt{3^2 + 2^2}\cos\theta \rightarrow \cos\theta = 3/\sqrt{13}\ \rightarrow \theta = \cos^{-1}(3/\sqrt{13}) \therefore \theta = 34^0$

$u_1 = |\mathbf{u}|\cos\alpha: -2 = \sqrt{(-2)^2 + (-5)^2}\cos\alpha \rightarrow \cos\alpha = -2/\sqrt{29}\ \rightarrow \alpha = \cos^{-1}(-2/\sqrt{29}) \therefore \alpha = 248^0$.

3. Finalmente, tenemos que $|\mathbf{v}| = \sqrt{13}$ y $\theta = 34^0$, $|\mathbf{u}| = \sqrt{29}$ y $\alpha = 248^0$, respectivamente.

198. Posiciones relativas y propiedades de los vectores:

Los vectores presentan una serie de características cuando se les compara unos con otros, así por ejemplo si los vectores se encuentran en el mismo plano, se les denomina **vectores coplanares**.

Luego, tenemos los **vectores paralelos** cuando están contenidos en dos rectas paralelas, los **vectores colineales** cuando se encuentran en la misma recta, los **vectores contrarios** cuando sus direcciones difieren en 180^0. También tenemos el **opuesto de un vector,** se trata del negativo de un vector (tienen igual magnitud y dirección contraria) denotado como $-\mathbf{v}$. A continuación, tenemos el **múltiplo de un vector**, consiste en hacer crecer o reducir la longitud de un vector, luego tenemos los **vectores equivalentes** si tienen la misma magnitud y dirección (vea el artículo 181), todo lo descrito se encuentra en la figura 158.

FIGURA 158

Vectores coplanares

Los vectores **w** y **s** son coplanares porque se encuentran en el mismo plano xz. De forma análoga, **r** y **c** en el mismo plano xy, y **v** y **u** en el mismo plano yz.

Vectores paralelos

Sean las rectas paralelas L_1 y L_2, los vectores **v** y **u** están contenidos en dichas rectas, por tanto, son paralelos.

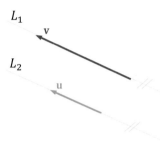

Vectores colineales y contrarios

Los vectores **v** y **u** están contenidos en la misma recta L_1, por tanto, son paralelos y colineales.

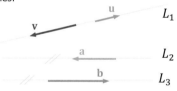

Los vectores **a** y **b** están contenidos en las rectas paralelas L_2 y L_3, por tanto, son paralelos y contrarios.

Opuesto de un vector

El opuesto del vector **u** es el vector $-\mathbf{u}$, se obtiene rotando al vector un ángulo de 180^0, o invirtiendo su orientación.

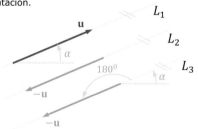

Múltiplo de un vector

Llamado también multiplicación por un escalar. Los vectores **v** y **w** son paralelos y tienen la misma dirección y ambos son contrarios con **u**.

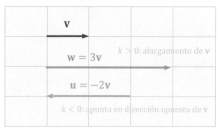

Vectores equivalentes

Supongamos que las cinco flechas en el plano, tienen la misma longitud y dirección. Por lo tanto, representan al mismo vector, cumpliéndose que:

$$\mathbf{u} = \mathbf{v} = \mathbf{w} = \mathbf{s} = \mathbf{r}$$

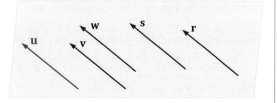

199. Operaciones con vectores en forma geométrica (diagrama vectorial):
Se presentan tres casos, la suma, la diferencia de vectores y el producto de un escalar y un vector.

200. Suma de vectores: La suma de los vectores $\mathbf{u} = \langle u_1, u_2 \rangle$ y $\mathbf{v} = \langle v_1, v_2 \rangle$ es el vector $\mathbf{u} + \mathbf{v}$ definido por:

$$\mathbf{u} + \mathbf{v} = \langle u_1 + v_1, u_2 + v_2 \rangle.$$

Sean el punto $P(x, y)$, los vectores $\mathbf{u} = \langle u_1, u_2 \rangle$ y $\mathbf{v} = \langle v_1, v_2 \rangle$, la interpretación geométrica indica que $\mathbf{u}$ traslada el punto P al punto $Q(x + u_1, y + u_2)$. Luego, el vector $\mathbf{v}$ traslada el punto Q al punto $R\big((x + u_1) + v_1, (y + u_2) + v_2\big)$ y por la propiedad asociativa es equivalente a escribir $R\big(x + (u_1 + v_1), y + (u_2 + v_2)\big)$. En consecuencia, el vector $\mathbf{u} + \mathbf{v}$ traslada el punto $P(x, y)$ al punto $R\big(x + (u_1 + v_1), y + (u_2 + v_2)\big)$. La interpretación geométrica de $\mathbf{u} + \mathbf{v}$ se muestra en la figura 159-I.

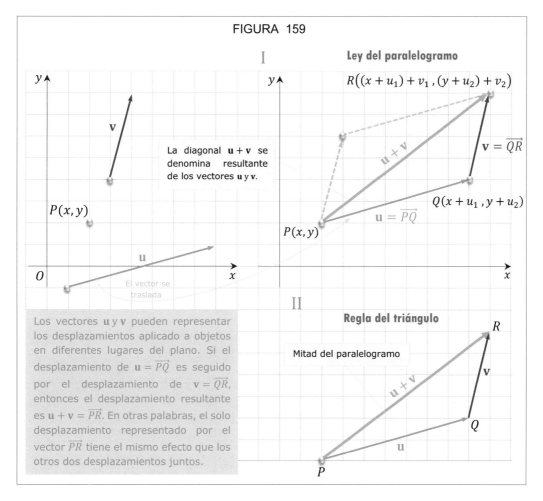

FIGURA 159

Note que $\overrightarrow{PQ}$ es una representación de $\mathbf{u}$, $\overrightarrow{QR}$ es una representación de $\mathbf{v}$ y $\overrightarrow{PR}$ es una representación de $\mathbf{u} + \mathbf{v}$. Uno de los métodos empleados para obtener geométricamente la suma de dos vectores, se conoce como la **ley del paralelogramo,** consiste en hacer coincidir el punto final (terminal, punta o cabeza) de $\mathbf{u}$ con el punto inicial (cola) de $\mathbf{v}$ (que se traslada, manteniendo su longitud y dirección, al igual que $\mathbf{u}$).

Observamos en la figura 159-I que las representaciones de los vectores **u** y **v** son lados adyacentes de un paralelogramo, siendo **u + v** su diagonal. Esta diagonal se denomina **resultante** de los vectores **u** y **v**.

En términos físicos, cuando dos o más fuerzas que actúan sobre una partícula pueden sustituirse por una sola fuerza que produce el mismo efecto sobre ella, esa es la fuerza resultante. El paralelogramo construido con los vectores **u** y **v** no depende del orden en que **u** y **v** se seleccionen, se concluye que la adición de vectores es conmutativa, como se mencionó en el artículo 190 y teorema 62, o sea, **u + v = v + u**. A partir de la ley del paralelogramo se puede obtener un segundo método para determinar la suma de dos vectores, llamado la regla del triángulo, en la cual por procedimientos trigonométricos se aplica la ley de los cosenos y la ley de senos. Este método toma como referencia la mitad del paralelogramo, de esta manera la suma de los dos vectores puede encontrarse colocando **u** y **v** de punta a cola, es decir, uniendo la cola de **u** con la punta de **v** como muestra la figura 159-II. En la otra mitad del paralelogramo se obtiene el mismo resultado, lo cual confirma el hecho de que la suma vectorial es conmutativa.

En la figura 160-A, se observa la suma de tres vectores **u, v** y **w**, la cual se obtuvo primero aplicando la regla del triángulo a **u + v** de los vectores **u** y **v**, volvió a aplicarse para obtener **u + v** y **w**, pero se pudo omitir el vector **u + v** con la finalidad de obtener directamente la suma **u + v + w**, como se aprecia en la figura 160-B, acomodando los vectores en la forma de cola a punta y conectando la cola del primer vector con la punta del último. Este procedimiento se conoce como la regla del polígono para la adición de vectores. En C se dan otros casos.

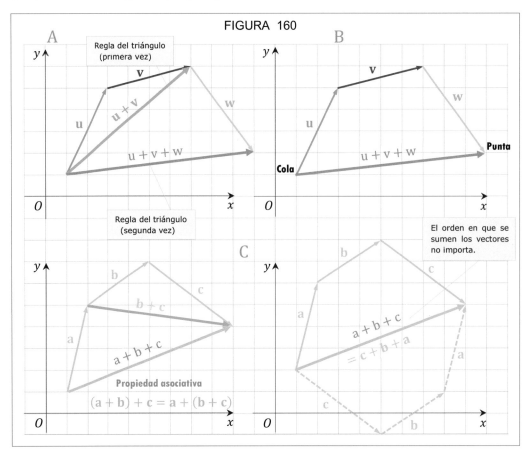

FIGURA 160

DEBES SABER QUE:

Amigo lector, tenga presente que: una fuerza representa la acción de un cuerpo sobre otro y se caracteriza por su punto de aplicación, magnitud (módulo) y dirección. Pero las fuerzas que actúan sobre una partícula tienen el mismo punto de aplicación. Cabe mencionar que los desplazamientos, velocidades, aceleraciones y cantidades de movimiento son cantidades físicas que poseen magnitud y dirección y que se suman siguiendo la ley del paralelogramo. Dos vectores de la misma magnitud, dirección y sentido se dice que son iguales, tengan o no el mismo punto de aplicación y se pueden representar con la misma letra.

Ejercicio 127:

Determinación de la fuerza resultante y su dirección. **Sean dos fuerzas de** $200 \, \text{lb}$ **y** $250 \, \text{lb}$ forman un ángulo de $\pi/3$ entre sí y están aplicadas a un objeto en el mismo punto. Se pide:
A) La resultante (intensidad) de la fuerza resultante.
B) El ángulo que forma la resultante con la fuerza de $200 \, \text{lb}$.

Pasos:

1. La figura 161, muestra los ejes que se han elegido de modo que la representación de posición o llamado también vector posición de la fuerza de $200 \, \text{lb}$ coincida con la parte positiva del eje x.

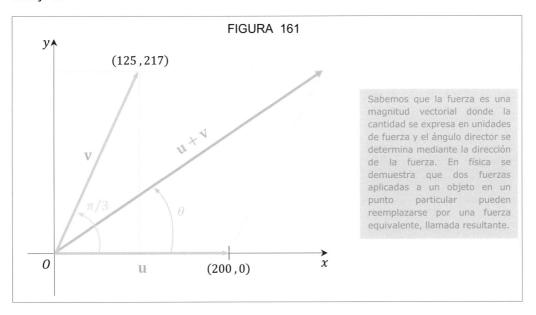

FIGURA 161

Sabemos que la fuerza es una magnitud vectorial donde la cantidad se expresa en unidades de fuerza y el ángulo director se determina mediante la dirección de la fuerza. En física se demuestra que dos fuerzas aplicadas a un objeto en un punto particular pueden reemplazarse por una fuerza equivalente, llamada resultante.

2. A continuación, sea el vector $\mathbf{u}$ que representa la fuerza $|\mathbf{u}| = 200 \, \text{lb}$ denotada $\mathbf{u} = \langle 200 \,, 0 \rangle$, y el vector $\mathbf{v}$ representa la fuerza de $|\mathbf{v}| = 250 \, \text{lb}$ denotada por $\mathbf{v} = \langle v_1 \,, v_2 \rangle$. Del artículo 197, sabemos que:

$$v_1 = |\mathbf{v}| \cos \theta \;\; \rightarrow v_1 = 250 \cos \frac{\pi}{3} \quad \therefore v_1 = 125$$

$$v_2 = |\mathbf{v}| \operatorname{sen} \theta \;\; \rightarrow v_2 = 250 \operatorname{sen} \frac{\pi}{3} \quad \therefore v_2 \approx 217.$$

$$\mathbf{v} = \langle 125 \,, 217 \rangle.$$

3. Luego, calculamos la fuerza resultante $\mathbf{u} + \mathbf{v}$ con $\mathbf{u} = \langle 200 \,, 0 \rangle$ y $\mathbf{v} = \langle 125 \,, 217 \rangle$, así:

$$\mathbf{u} + \mathbf{v} = \langle 200 \,, 0 \rangle + \langle 125 \,, 217 \rangle \;\;\; \rightarrow \mathbf{u} + \mathbf{v} = \langle 325 \,, 217 \rangle.$$

4. Enseguida, respondemos la pregunta A, conociendo los componentes de la resultante, hallamos la longitud:

$$|\mathbf{u} + \mathbf{v}| = \sqrt{(325)^2 + (217)^2} \quad \rightarrow |\mathbf{u} + \mathbf{v}| = 391.$$

5. Finalmente de acuerdo al artículo 197, si θ es el ángulo que el vector resultante $\mathbf{u} + \mathbf{v} = \langle 325, 217 \rangle = \langle x, y \rangle$ forma con $\mathbf{u}$, escribimos las coordenadas polares en términos de coordenadas cartesianas:

$$\tan\theta = \frac{y}{x} \rightarrow \tan\theta = \frac{217}{325} \rightarrow \theta = \tan^{-1}\left(\frac{217}{325}\right) \quad \therefore \theta = 34^0 \text{ o } 0,5877 \text{ radianes.}$$

201. Diferencia de vectores: La diferencia de los vectores $\mathbf{u}$ y $\mathbf{v}$ es el vector denotado $\mathbf{u} - \mathbf{v}$ que se obtiene al sumar $\mathbf{u}$ al negativo de $\mathbf{v}$, así:

$$\mathbf{u} - \mathbf{v} = \mathbf{u} + (-\mathbf{v}).$$

Considerando que: $\mathbf{u} = \langle u_1, u_2 \rangle$ y $\mathbf{v} = \langle v_1, v_2 \rangle$ entonces $-\mathbf{v} = \langle -v_1, -v_2 \rangle$, por lo tanto:

$$\mathbf{u} - \mathbf{v} = \langle u_1 - v_1, u_2 - v_2 \rangle.$$

Para llevar a cabo la sustracción de vectores, empleamos dos métodos: el primero, consiste en construir $-\mathbf{v}$ y luego lo agregamos a $\mathbf{u}$, y en el segundo, hacemos que $\mathbf{v}$ y $\mathbf{u}$ tengan un origen común y construyamos el tercer lado del triángulo (figura 162). Los dos sentidos posibles nos darán $\mathbf{u} - \mathbf{v}$, cumpliéndose que: $\mathbf{u} - \mathbf{v} = \mathbf{u} + (-\mathbf{v})$.

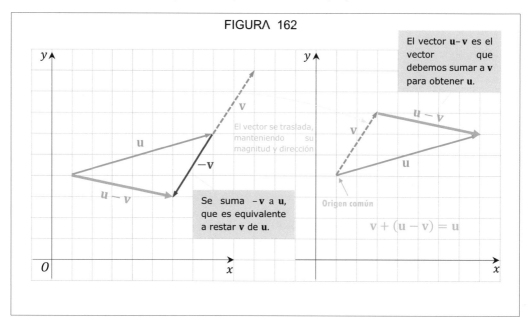

FIGURA 162

El vector $\mathbf{u}-\mathbf{v}$ es el vector que debemos sumar a $\mathbf{v}$ para obtener $\mathbf{u}$.

El vector se traslada, manteniendo su magnitud y dirección

Se suma $-\mathbf{v}$ a $\mathbf{u}$, que es equivalente a restar $\mathbf{v}$ de $\mathbf{u}$.

Origen común

$$v + (u - v) = u$$

Ejercicio 128:
Navegación aérea: enfilamiento del avión. Imagine que usted está volando un avión a 300 km/h y sabe que las condiciones meteorológicas indican que el viento sopla hacia el Este a 50 km/h, ¿cuál debe ser el enfilamiento del avión para que el curso sea de 30^0? ¿Cuál será la velocidad a tierra del avión si vuela en este curso?

Pasos:

1. Este ejercicio involucra la diferencia de dos vectores acerca de la navegación aérea. Debe saber que la velocidad a tierra (o con respecto a tierra), es la velocidad del avión considerada desde el suelo y la velocidad al aire (o con respecto al aire) de un avión, es la velocidad del avión con relación a la velocidad del aire donde vuela. Cuando hay viento, la velocidad del avión relativa al suelo, es la resultante del vector que representa la velocidad del aire y el vector que representa la velocidad del avión relativa al aire.

2. Ahora, observamos en la figura 163 las representaciones de las posiciones de los vectores **u** y **v**, así como **u − v**.

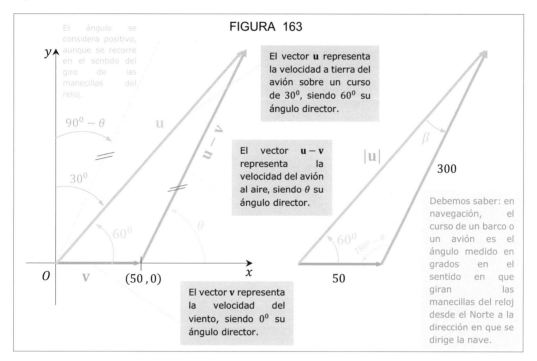

FIGURA 163

El vector **u** representa la velocidad a tierra del avión sobre un curso de 30^0, siendo 60^0 su ángulo director.

El vector **u − v** representa la velocidad del avión al aire, siendo θ su ángulo director.

El vector **v** representa la velocidad del viento, siendo 0^0 su ángulo director.

Debemos saber: en navegación, el curso de un barco o un avión es el ángulo medido en grados en el sentido en que giran las manecillas del reloj desde el Norte a la dirección en que se dirige la nave.

El ángulo se considera positivo, aunque se recorre en el sentido del giro de las manecillas del reloj.

3. A continuación, consideramos que el vector **u** representa la velocidad a tierra del avión sobre un curso de 30^0, siendo 60^0 su ángulo director. El vector $\mathbf{v} = \langle v_1, v_2 \rangle$ representa la velocidad del viento. Se sabe que **v** tiene una magnitud (intensidad) de 50 y un ángulo director de 0^0, por lo que sus componentes son:

$$v_1 = |\mathbf{v}| \cos \theta \;\rightarrow\; v_1 = 50 \cos 0^0 \quad \therefore\, v_1 = 50$$

$$v_2 = |\mathbf{v}| \operatorname{sen} \theta \;\rightarrow\; v_2 = 50 \operatorname{sen} 0^0 \quad \therefore\, v_2 = 0$$

$$\mathbf{v} = \langle 50, 0 \rangle.$$

4. Luego, el vector **u − v** representa la velocidad del avión al aire con una magnitud de 300, denotado como $|\mathbf{u} - \mathbf{v}| = 300$. Sea θ el ángulo director de **u − v**. Amigo lector, en la figura (lado derecho) se muestra el triángulo, en el cual podemos aplicar la ley de senos como se indica:

$$\frac{\operatorname{sen} \beta}{50} = \frac{\operatorname{sen} 60^0}{300} \;\rightarrow\; \operatorname{sen} \beta = \frac{\sqrt{3}/2}{6} \;\rightarrow\; \beta = \operatorname{sen}^{-1}\left(\frac{\sqrt{3}}{12}\right) \quad \therefore\, \beta = 8{,}3^0$$

por tanto: $\theta = 60^0 + 8{,}3^0 = 68{,}3^0$.

5. Nuevamente, aplicamos la ley de senos conociendo $\theta = 68,3^0$, con la finalidad de obtener la longitud del vector **u** tal como se muestra:

$$\frac{\text{sen } 60^0}{300} = \frac{\text{sen } (180^0 - \theta)}{|\mathbf{u}|} \quad \rightarrow \quad |\mathbf{u}| = \frac{300 \text{ sen } (180^0 - 68,3^0)}{\sqrt{3}/2} \quad \therefore |\mathbf{u}| = 322.$$

6. Finalmente, el enfilamiento del avión (es una determinada dirección que recorre la nave), debe ser $(90^0 - \theta)$ o sea $21,7^0$, como el avión vuela en este curso, su velocidad a tierra será de 322 km/h.

202. Modelamiento vectorial aplicado en física:

La velocidad de un cuerpo en movimiento se modela por medio de un vector cuya dirección es la dirección del movimiento y cuya magnitud es la rapidez. La figura 164-I, muestra algunos vectores **u**, que representan la velocidad del viento que sopla en la dirección N 30^0 E, y el vector **v**, que representa la velocidad de un avión que vuela en el seno del viento en el punto P. Sabemos (sobre todo los lectores que hemos tenido la oportunidad de volar en un avión) que el viento afecta la rapidez y la dirección de la nave. La figura 164-II, indica que la verdadera velocidad del avión (con respecto al suelo) está dada por el vector **w**.

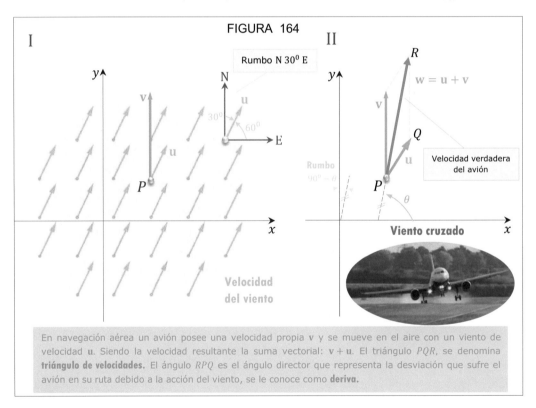

FIGURA 164

En navegación aérea un avión posee una velocidad propia **v** y se mueve en el aire con un viento de velocidad **u**. Siendo la velocidad resultante la suma vectorial: **v** + **u**. El triángulo PQR, se denomina **triángulo de velocidades**. El ángulo RPQ es el ángulo director que representa la desviación que sufre el avión en su ruta debido a la acción del viento, se le conoce como **deriva**.

Ejercicio 129:

Magnitud verdadera de un avión. Un avión se dirige al norte a 300 km/h. El piloto recibe la información de la torre de control que atravesará un viento cruzado en la dirección N 30^0 E, como en la figura 164-I. Se sabe que la intensidad del viento es 40 km/h. Se pide:

A) Exprese la velocidad **v** del avión con respecto al aire y la velocidad **u** del viento, en forma de componentes.

B) Halle la velocidad verdadera del avión como vector.

C) Determine la rapidez y dirección verdadera del avión.

Pasos:
1. Debemos saber que un viento cruzado es aquel que sopla perpendicularmente a la pista de aterrizaje dificultando los aterrizajes y despegues en comparación con un viento que sigue el sentido de la pista (observe en la parte inferior de la figura 164-II).

2. Luego para hallar la parte A), sabemos que la velocidad del avión con respecto al aire, se escribe como sigue: $\mathbf{v} = 0\,\mathbf{i} + 300\,\mathbf{j} = 300\,\mathbf{j}$. A partir del artículo 197, obtendremos los componentes de la velocidad del viento $\mathbf{u} = \langle u_1, u_2 \rangle$, con $|\mathbf{u}| = 40$ y $\theta = 60^0$ (debido a que el rumbo es 30^0), así:

$$u_1 = |\mathbf{u}| \cos\theta \;\rightarrow u_1 = 40\cos 60^0 \quad \therefore u_1 = 20$$

$$u_2 = |\mathbf{u}| \operatorname{sen}\theta \;\rightarrow u_2 = 40\operatorname{sen} 60^0 \quad \therefore u_2 = 20\sqrt{3}$$

$$\mathbf{u} = \langle 20, 20\sqrt{3} \rangle.$$

Expresado en componentes sería: $\mathbf{u} = 20\,\mathbf{i} + 20\sqrt{3}\,\mathbf{j}$.

3. A continuación la parte B), la velocidad verdadera del avión está dada por el vector suma, con $\mathbf{u} = 20\,\mathbf{i} + 20\sqrt{3}\,\mathbf{j}$ y $\mathbf{v} = 300\,\mathbf{j}$, como sigue:

$$\mathbf{w} = \mathbf{u} + \mathbf{v} \rightarrow \mathbf{w} = 20\,\mathbf{i} + \left(20\sqrt{3} + 300\right)\mathbf{j} \quad \therefore \mathbf{w} = 20\,\mathbf{i} + 335\,\mathbf{j}.$$

4. Después, la rapidez verdadera del avión está dada por la magnitud de $\mathbf{w}$, veamos:

$$|\mathbf{w}| = \sqrt{(20)^2 + (335)^2} \quad \therefore |\mathbf{w}| \approx 336\,\frac{\text{km}}{\text{h}}.$$

5. Finalmente la dirección verdadera del avión, es la dirección θ del vector $\mathbf{w}$ (vea la figura 164-II). De acuerdo al artículo 197, con $\mathbf{w} = 20\,\mathbf{i} + 335\,\mathbf{j} = \langle 20, 335 \rangle = \langle x, y \rangle$, sabemos que:

$$\tan\theta = \frac{y}{x} \rightarrow \tan\theta = \frac{335}{20} \rightarrow \theta = \tan^{-1}\left(\frac{335}{20}\right) \quad \therefore \theta = 86{,}6^0$$

siendo su rumbo (figura 164-II, respecto al eje vertical-eje y) el siguiente: N $3{,}4^0$ E.

Ejercicio 130:
Determinación del rumbo. Un padre y su hijo salen a pescar a un río recto, que tiene muchas variedades de peces, para ello, el padre echa un bote al agua desde la orilla y desea desembarcar en un punto directamente en la orilla opuesta. Si la rapidez del bote (respecto al agua) es 10 km/h y el río corre al Este a razón de 5 km/h, ¿en qué dirección deberá el padre dirigir el bote para llegar al punto deseado de desembarco?

Pasos:
1. Cuando se trata de una situación real, es conveniente seleccionar un sistema de coordenadas con el origen en la posición inicial del bote. Consideramos que $\mathbf{u}$ y $\mathbf{v}$ son las velocidades del río y del bote, respectivamente. De acuerdo a la información, se sabe que $\mathbf{u} = 5\mathbf{i}$ y como la rapidez del bote es 10 km/h, tenemos $|\mathbf{v}| = 10$, entonces podemos escribir los componentes de $\mathbf{v} = \langle v_1, v_2 \rangle$, así:

$$v_1 = |\mathbf{v}| \cos\theta \;\rightarrow v_1 = 10\cos\theta \;\text{ y }\; v_2 = |\mathbf{v}| \operatorname{sen}\theta \;\rightarrow v_2 = 10\operatorname{sen}\theta \quad \therefore \mathbf{v} = 10\cos\theta\,\mathbf{i} + 10\operatorname{sen}\theta\,\mathbf{j}.$$

2. A continuación, se muestran los vectores $\mathbf{u}, \mathbf{v}$ y el ángulo director θ, en la figura 165.

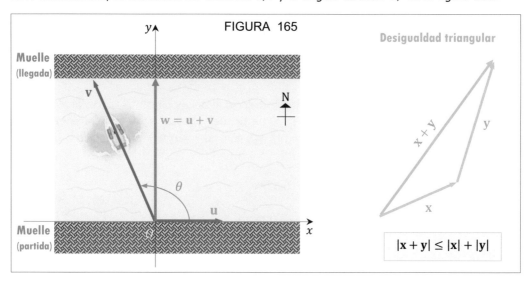

FIGURA 165

3. Luego como mencionamos, la verdadera dirección del bote está dada por $\mathbf{w} = \mathbf{u} + \mathbf{v}$:

$$\mathbf{w} = \mathbf{u} + \mathbf{v} \rightarrow \mathbf{w} = 5\,\mathbf{i} + 10\cos\theta\,\mathbf{i} + 10\operatorname{sen}\theta\,\mathbf{j} \;\therefore\; \mathbf{w} = (5 + 10\cos\theta)\,\mathbf{i} + 10\operatorname{sen}\theta\,\mathbf{j}.$$

De acuerdo a la información, el padre desea desembarcar en un punto directamente en la orilla opuesta (muelle de llegada), su dirección deberá tener un componente horizontal cero. Para encontrar θ hacemos lo siguiente:

$$5 + 10\cos\theta = 0 \;\rightarrow\; \cos\theta = -1/2 \quad \therefore\; \theta = 120^{0}.$$

4. Finalmente, el padre deberá dirigir su bote 30^{0} hacia el norte: N 30^{0}.

203. Desigualdad de Cauchy-Schwarz:

En la figura 165 (lado derecho) se muestra un triángulo, cuya longitud de uno de sus lados no puede exceder a la suma de las longitudes de los otros dos lados. Es por ello, que el resultado es conocido como desigualdad triangular. El siguiente teorema amplia el artículo.

TEOREMA 64: Desigualdad triangular de la suma. Se trata de una consecuencia de la desigualdad de Cauchy-Schwarz. Sean $\mathbf{x}$ y $\mathbf{y}$ vectores en $\mathbb{R}^2$ (se puede extender a $\mathbb{R}^n$) y k un número real, se cumple:

$$|\mathbf{x} + \mathbf{y}| \le |\mathbf{x}| + |\mathbf{y}|.$$

204. Demostración: Partimos del hecho que: $|\mathbf{x}| \ge 0, |\mathbf{x}| = 0 \leftrightarrow \mathbf{x} = \mathbf{0}$, además, $|k\mathbf{x}| = |k||\mathbf{x}|$.
$|\mathbf{x} + \mathbf{y}|^2 = (\mathbf{x} + \mathbf{y}) \cdot (\mathbf{x} + \mathbf{y}) = \mathbf{x} \cdot \mathbf{x} + 2(\mathbf{x} \cdot \mathbf{y}) + \mathbf{y} \cdot \mathbf{y} \le |\mathbf{x}|^2 + 2|\mathbf{x} \cdot \mathbf{y}| + |\mathbf{y}|^2 \le |\mathbf{x}|^2 + 2|\mathbf{x}||\mathbf{y}| + |\mathbf{y}|^2,$

$$|\mathbf{x} + \mathbf{y}| \le |\mathbf{x}| + |\mathbf{y}|. \qquad \text{El producto punto lo estudiaremos dos secciones más adelante.}$$

Ejemplo ilustrativo 33:

Desigualdad triangular de la suma. Verifique la desigualdad triangular con los vectores dados $\mathbf{x} = \langle 1, -2 \rangle$ y $\mathbf{y} = \langle 5, -3 \rangle$. Obtenemos las longitudes de cada lado del triángulo, así:
$|\mathbf{x} + \mathbf{y}| = \sqrt{61}, |\mathbf{x}| = \sqrt{5}$ y $|\mathbf{y}| = \sqrt{34}$ $\;\therefore\; \sqrt{61} \le \sqrt{5} + \sqrt{34}.$

Notas del lector

Amigo lector, todo es posible en la medida que usted crea que es posible ¡vamos! ¡no desmaye! ¡tienes que conquistar el mundo! ¡Uste es el responsable de sus sueños! ¡No deje su crecimiento al azar!

Notas del lector

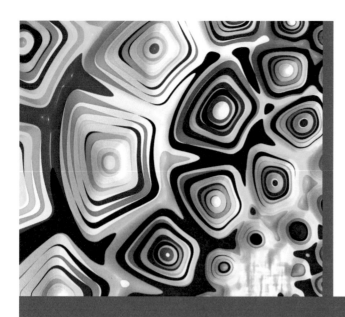

NOTEBOOK I

1.1. Sistemas de coordenadas

1.2. Línea recta

1.3. Ecuación de la circunferencia

1.4. Transformación de coordenadas

1.5. Secciones cónicas. Ecuación general de segundo grado de dos variables

1.6. Sistema de coordenadas polares

1.7. Ecuaciones paramétricas

2.1. Vectores en el plano

2.1) Vectores en el plano

Comunicación matemática

179.- Indique si el enunciado es verdadero o falso. Justifique.

Enunciado	V o F	Justifique
Un vector se define como un conjunto de segmentos de línea dirigidos equivalentes.		
Las gráficas de funciones vectoriales no pueden representarse por medio de ecuaciones paramétricas.		
Si una flecha tiene punto inicial (x_1, y_1) y punto terminal (x_2, y_2), entonces representa el vector $\langle x_2 - x_1, y_2 - y_1 \rangle$.		
En la práctica, es común no distinguir entre un vector y uno de sus representantes, siempre y cuando tengan la misma longitud y dirección.		
Amigo lector, recuerde siempre: un vector es igual a su longitud por un vector dirección (director), por ejemplo: $\mathbf{a} = |\mathbf{a}|\mathbf{u}$.		
Los desplazamientos, velocidades, aceleraciones y cantidades de movimiento son cantidades físicas que poseen magnitud y dirección y que se suman siguiendo la ley del paralelogramo.		
Las coordenadas cartesianas en términos de coordenadas polares están dadas por: $r = \sqrt{x^2 + y^2}$ y $\tan\theta = y/x$.		
Un vector resultante $\mathbf{u} + \mathbf{v}$ es la diagonal de un paralelogramo que tiene a $\mathbf{u}$ y $\mathbf{v}$ como lados adyacentes.		
En navegación, el curso de un barco o un avión es el ángulo medido en grados en el sentido en que giran las manecillas del reloj desde el Norte a la dirección en que se dirige la nave.		
Se verifica la desigualdad triangular con los vectores $\mathbf{a} = \langle 1, -1 \rangle$ y $\mathbf{b} = \langle 3, -2 \rangle$.		

180.- Responde las siguientes preguntas:

A) ¿Qué es un vector? ¿Por qué es importante su estudio en la vida cotidiana?

_____

_____

_____

_____

_____

_____

_____

B) Define magnitudes escalares y escribe 5 ejemplos aplicados en la vida cotidiana.

_____

_____

_____

_____

_____

_____

_____

_____

C) El análisis vectorial puede estudiarse en forma geométrica o analítica. Explique en qué consiste cada uno de ellos.

_____

_____

_____

_____

_____

_____

_____

_____

_____

D) Define: Vector de frontera, vector libre, vector deslizante y vector fijo. ¿Cree usted, que existe alguna semejanza entre ellos?

_____

_____

_____

_____

_____

_____

_____

E) ¿En qué consiste el modelamiento vectorial aplicado en física? Mencione dos casos aplicados en la vida cotidiana.

_____

_____

_____

_____

_____

_____

_____

F) Amigo lector, usando vectores demuestre que el segmento de recta que une los puntos medios de dos lados de un triángulo es paralelo y mide la mitad de longitud del tercer lado. Sugerencia: Ubique un vértice en el origen de coordenadas con lado a sobre el eje x. Use la fórmula de punto medio de un segmento.

_____

_____

_____

_____

_____

_____

_____

_____

181.- Responde las siguientes preguntas:

Pregunta	Responde
1. ¿A qué se refiere un vector en la posición canónica o estándar (radio-vector)?	
2. Sea **a** un vector en $\mathbb{R}^2$ y t un número real. ¿Qué representa $t\mathbf{a}$?	
3. Segmentos de recta dirigidos que tiene la misma longitud y dirección son equivalentes. Dibuje un ejemplo.	
4. Resuelve $|\mathbf{i} + \mathbf{j}|$.	
5. El producto cartesiano $\mathbb{R}\text{x}\mathbb{R}$ es el conjunto de ⋯ de números reales, denotado por: $\mathbb{R}\text{x}\mathbb{R} = \{(a,b) \mid a \in \mathbb{R} \text{ y } b \in \mathbb{R}\}$.	
6. ¿Cuándo se produce el alargamiento de un vector?	
7. Al estudio de los vectores se conoce como ⋯	
8. Escribe el nombre de cada una de las tres propiedades dadas: $\mathbf{v} + \mathbf{0} = \mathbf{v}$, $1\mathbf{v} = \mathbf{v}$ y $\mathbf{v} + (\mathbf{u} + \mathbf{w}) = (\mathbf{v} + \mathbf{u}) + \mathbf{w}$.	
9. ¿Qué es el espacio vectorial real V?	
10. Exprese el vector $\langle 4, -1 \rangle$ de acuerdo a: $\mathbf{v} = |\mathbf{v}|(\cos \theta\, \mathbf{i} + \operatorname{sen} \theta\, \mathbf{j})$.	
11. ¿Qué es la regla del polígono?	
12. Describe el conjunto de todos los puntos (x, y) tales que $\mathbf{b} = \langle x, y \rangle$ tiene cinco unidades de longitud.	

182.- Función vectorial. Amigo lector, suponga que una partícula se desplaza de modo que las coordenadas (x,y) de su posición en cualquier instante t están dadas por las ecuaciones $x = f(t)$ y $y = g(t)$. Entonces para cada número t en el dominio común de f y g existe un vector $f(t)\,\mathbf{i} + g(t)\,\mathbf{j}$, y los puntos finales de las representaciones de posición (radio-vector) de estos vectores describen la curva C recorrida por la partícula. Lo anterior nos permite concluir: una función cuyo dominio es un conjunto de números reales y cuyo rango es un conjunto de vectores. Dicha función se denomina función de valor vectorial o simplemente función vectorial. De acuerdo al texto se pide:

A) ¿Quién sería el parámetro?

B) Escribe las ecuaciones paramétricas.

C) Escribe una ecuación vectorial $\mathbf{r}(t)$ de acuerdo a B).

D) Si el vector $\mathbf{r}(t)$ tiene como punto inicial (cola) el origen de coordenadas, ¿cómo se le llama a $\mathbf{r}$?

E) Si se elimina el parámetro t (que se puede considerar como la medida del tiempo) se obtiene una ecuación en x y y, ¿cómo se le llama a dicha ecuación?

F) Determine el dominio de una función vectorial $\mathbf{r}$ definida por: $\mathbf{r}(t) = \sqrt{t-3}\,\mathbf{i} + (t-4)^{-1}\mathbf{j}$.

G) Escribe 5 ejemplos de funciones vectoriales.

183.- Módulo de un vector. Responde las siguientes preguntas:

A) ¿Es posible tener alguna vez $|\mathbf{a}| < 0$?

B) Si $|\mathbf{a}| = 3$, ¿cuál es $|4\mathbf{a}|$? ¿Cuál es $|-2\mathbf{a}|$? ¿Qué puede decir sobre $|t\mathbf{a}|$ si $-2 \le t \le 1$?

C) Si $\mathbf{a}$ es un vector no cero y si $t = |\mathbf{a}|^{-1}$, ¿cuál es $|-t\mathbf{a}|$?

D) Si $\mathbf{b}$ es un vector no cero y si $t = |\mathbf{a}|/|\mathbf{b}|$, ¿qué puede decir sobre $|t\mathbf{b}|$?

E) Si $\mathbf{a}$ es un múltiplo escalar de $\mathbf{b}$, ¿es necesariamente $\mathbf{b}$ un múltiplo escalar de $\mathbf{a}$?

F) Si $\mathbf{a} - \mathbf{b} = 0$, ¿es necesariamente verdadero que $\mathbf{a} = \mathbf{b}$?

G) Usted tiene un plano en el espacio. ¿Cuántos vectores distintos de magnitud unitaria son perpendiculares al plano? Además, dibuje la pregunta B).

184.- Desplazamiento de un vector. El desplazamiento de una partícula es el vector de la posición final menos el vector de la posición inicial, vea la figura adjunta. El vector desplazamiento, a diferencia del vector posición, es una propiedad intrínseca de la partícula: no depende de la elección de un sistema de coordenadas (aunque sus componentes serán muy diferentes en varios sistemas de coordenadas). De hecho, el desplazamiento de una partícula es un modelo perfecto de un vector en esta etapa. Hemos definido la adición de vectores como una suma en la misma forma en que lo hacen los desplazamientos. Por consiguiente, si una partícula sufre un desplazamiento **a** y después otro desplazamiento **b**, es obvio que el desplazamiento resultante será **a** + **b**. En otras palabras, **a** + **b** es el desplazamiento individual que produce el mismo efecto neto que ambos desplazamientos **a** y **b**. Desde el punto de vista de la física, esa es la razón por la cual la adición de vectores se define de este modo. En ocasiones, conviene pensar que los vectores representan desplazamientos, aun cuando no intervenga la física. No se forme la falsa impresión de que, cuando representamos un desplazamiento con un vector **a**, la trayectoria de la partícula ha sido necesariamente recta. Por último, el segmento de línea dirigido que representa el desplazamiento se extiende directamente de la posición inicial a la posición final, pero la partícula bien pudo haberse ido hacia el polo norte. Responde:

a) ¿Qué título le pondría a este párrafo?

b) ¿Es lo mismo desplazamiento y vector?

c) Realice un bosquejo de la lectura.

d) ¿Qué tiene que ver la física en todo esto?

e) ¿Qué significa que **a** + **b** es el desplazamiento individual que produce el mismo efecto neto que ambos desplazamientos **a** y **b**?

f) Explique el siguiente párrafo: "el segmento de línea dirigido que representa el desplazamiento se extiende directamente de la posición inicial a la posición final, pero la partícula bien pudo haberse ido hacia el polo norte"

185.- Descomposición de una fuerza en sus componentes. Las fuerzas también son cantidades vectoriales. Esto puede parecer obvio porque una fuerza se representa adecuadamente mediante un segmento de línea dirigido. Pero no es tan obvio. ¿Cómo sabemos que las fuerzas "se suman" del mismo modo que los vectores? Simplemente confiaremos en la palabra de los físicos. Si F_1 y F_2 son fuerzas que actúan sobre una partícula, la suma vectorial $F_1 + F_2$ es la fuerza única que producirá el mismo efecto y, en ocasiones, recibe el nombre de **resultante** de dos fuerzas. En física elemental, la resultante de dos o más fuerzas normalmente se calcula de la siguiente manera: se traza un diagrama que muestre las fuerzas, y luego, sistemáticamente, se va suprimiendo cada una, reemplazándola por sus componentes a lo largo de los ejes coordenados. Las fuerzas a lo largo de cada eje se suman algebraicamente, de manera que una tenga una sola fuerza que permanece a lo largo de cada uno de los ejes de las coordenadas. La magnitud de la fuerza resultante puede obtenerse entonces aplicando el teorema de Pitágoras, puesto que los ejes son perpendiculares. Se ha visto que dos o más fuerzas que actúan sobre una partícula pueden sustituirse por una sola fuerza que produce el mismo efecto sobre ella. De la misma manera, una sola fuerza F que actúa sobre una partícula puede reemplazarse por dos o más fuerzas que produzcan juntas el mismo efecto sobre la partícula. A estas fuerzas se les llama componentes de F, y al proceso de sustituirlas en lugar de F se le denomina descomposición de F en sus componentes. En ese sentido, para cada fuerza F existe un número infinito de conjuntos de componentes. Los conjuntos de dos componentes F_1 y F_2 son los más importantes en cuanto a aplicaciones prácticas se refiere. Pero aun en este caso, el número de formas en las que una fuerza F puede descomponerse en sus componentes es ilimitado.

a) ¿Qué título le pondría a este párrafo?

b) ¿Qué debería hallar primero, los componentes o la descomposición de una fuerza F? Explique. Generalmente, ¿qué es lo más común? ¿Por qué?

c) Realice un bosquejo de tres formas diferentes en las que puede descomponerse F.

d) ¿Por qué es importante aplicar la descomposición de una fuerza en sus componentes?

186.- Determinación de vectores unitarios. En términos de **i** y **j**, halle:

a) El vector unitario en el ángulo positivo de 60^0 con el eje x.

b) El vector unitario con $\theta = -30^0$.

c) El vector unitario que tenga la misma dirección que $3\mathbf{i} + 4\mathbf{j}$.

d) Los vectores unitarios que tengan componentes x iguales a 0,5.

e) Los vectores unitarios perpendiculares a la línea $x + y = 0$.

187.- Operaciones con vectores. Determine $|6\mathbf{i} + 8\mathbf{j}|, |-3\mathbf{i}|, |\mathbf{i} + t\mathbf{j}|$ y $|\cos\theta\,\mathbf{i} + \operatorname{sen}\theta\,\mathbf{j}|$.

188.- Determinación de un vector. En términos de **i** y **j**, halle el vector representado por la flecha que se extiende del origen al punto medio del segmento de línea que une $(1,4)$ con $(3,8)$.

189.- Representación gráfica de un vector. **Represente el vector v mediante sus componentes según el gráfico. Luego, dibuje el vector como representación posicional.**

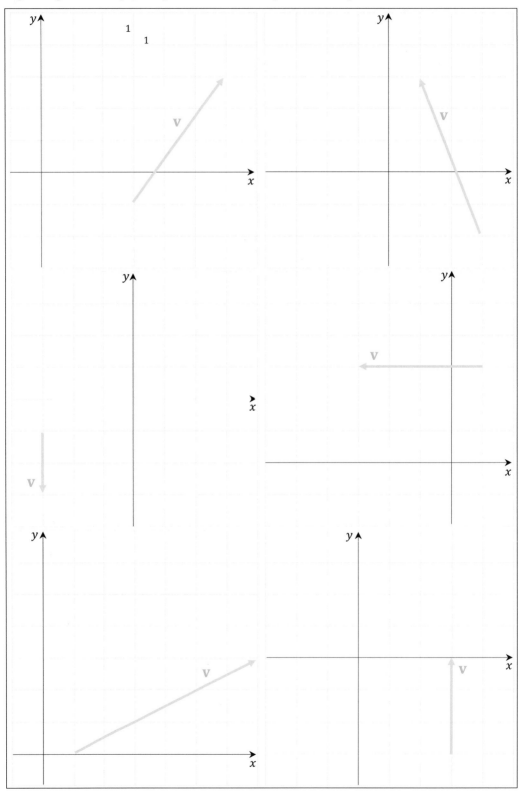

190.- Representación gráfica de un vector. **La figura muestra los vectores a y b. Se pide trazar los 7 vectores dados.**

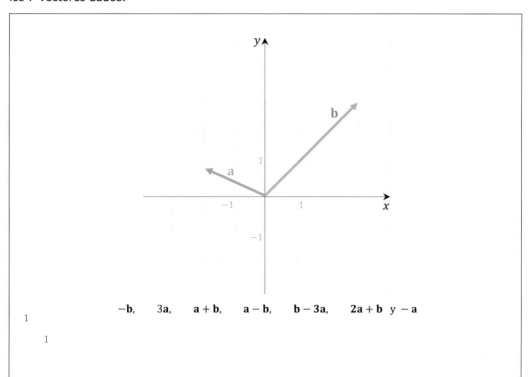

$$-\mathbf{b}, \quad 3\mathbf{a}, \quad \mathbf{a}+\mathbf{b}, \quad \mathbf{a}-\mathbf{b}, \quad \mathbf{b}-3\mathbf{a}, \quad 2\mathbf{a}+\mathbf{b} \quad y \quad -\mathbf{a}$$

191.- Fuerzas. Dos fuerzas de magnitudes de $60 \, \text{lb}$ y $80 \, \text{lb}$ forman un ángulo de 30^0 entre sí y se aplican a un cuerpo en el mismo punto. Se pide:

A) La magnitud de la fuerza resultante.

B) El ángulo que forma la resultante con la fuerza de $60 \, \text{lb}$.

C) A modo de comprobación, resuélvelo usando la ley de cosenos y la ley de senos.

---

1) Realice un gráfico del enunciado. Considere que la posición de la fuerza de $60 \, \text{lb}$ esté a lo largo del lado positivo del eje x, denótela como **a**.

2) Luego, halle los componentes del otro vector llámelo **b**. Obtenga **a** + **b**.

3) Finalmente, calcule $|\mathbf{a} + \mathbf{b}|$ y θ. Tome como referencia el ejercicio 127 del Libro 1-Parte IV.

RTA. A) $135 \, \text{lb}$ y B) $\theta = 17^0$

192.- Tensión de cuerdas. Un barco es arrastrado por dos remolcadores como muestra la figura. Si la resultante de las fuerzas ejercidas por ellos, es una fuerza de 5 000 lb dirigida a lo largo del eje del barco. Se pide:

A) La tensión en cada una de las cuerdas, sabiendo que $\theta = 45^0$.

B) Use el método gráfico (según figura dada) y luego el analítico (por trigonometría). De cómo respuesta la diferencia de ambos métodos y explique por qué dicha diferencia.

C) Por último, halle el valor del ángulo θ tal que la tensión en la cuerda dos sea mínima.

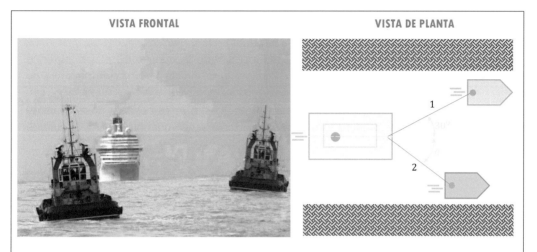

VISTA FRONTAL   VISTA DE PLANTA

1) Para el método gráfico use la ley del paralelogramo, donde la diagonal es la resultante igual a 5 000 lb, y está dirigida hacia la derecha, siendo los lados paralelos a las cuerdas 1 y 2. Tiene que hacerlo a escala, por ejemplo, considere que la resultante mide 5 cm, tiene el ángulo, podrá hallar los otros lados. Proceda a medir.

2) Luego, para el método analítico use la ley de senos, considerando la regla del triángulo (vea el artículo 200 del **Libro 1-Parte IV**).

3) Finalmente, el ángulo θ para que la tensión en la cuerda 2 sea mínima, emplee nuevamente la regla del triángulo. Analice como debería ser la disposición de las tensiones.

RTA. A ,B) 40 lb y 10 lb y C) $\theta = 60^0$

193.- Componentes de vectores. Para definir los componentes de un vector **v**, partimos de un sistema rectangular de ejes de coordenadas (cartesiano), vea la figura I. Luego se dibuja el vector con su cola en el origen O del sistema coordenado. Podemos representar cualquier vector en el plano xy como la suma de un vector paralelo al eje x y otro vector paralelo al eje y. Ambos vectores se denotan como $\mathbf{v}_x$ y $\mathbf{v}_y$ (figura I) y se les denomina vectores componentes del vector **v**, y su suma vectorial es igual a **v**, simbólicamente sería, $\mathbf{v} = \mathbf{v}_x + \mathbf{v}_y$. Note que cada vector componente se encuentra a lo largo de un eje de coordenadas, solo se requiere un número para describirlo (más información revise el artículo 197). Cuando el vector componente $\mathbf{v}_x$ apunta hacia la dirección x positiva, definimos el número v_x como la magnitud o longitud de $\mathbf{v}_x$, (vea la figura II), pero, cuando apunta en la dirección x negativa, definimos el número v_x como el negativo de dicha magnitud (aunque la magnitud de una cantidad vectorial en sí misma nunca es negativa, se considera para indicar la dirección negativa de los ejes x y y, observe las figuras III y IV). Del mismo modo se define el número v_y con respecto al eje y. Por tanto, v_x y v_x son las componentes (no son vectores) de **v**. En el siguiente ejercicio se pide: Hallar las componentes x y y del vector **a**, cuya magnitud es 4 y ángulo de 45^0, y del vector **b**, si $|\mathbf{b}| = 4{,}5$ y $\theta = 37^0$ (figura V).

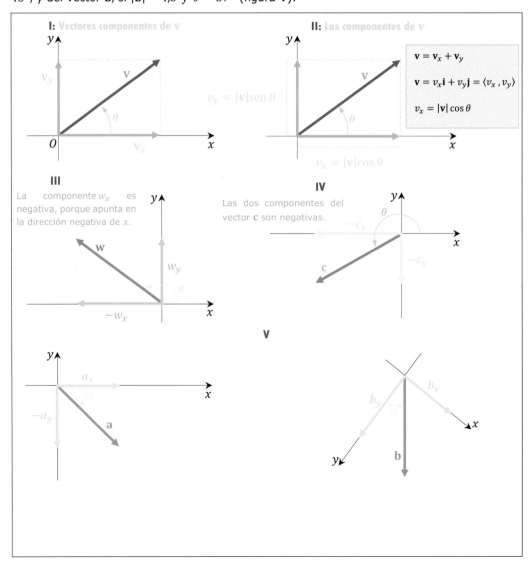

194.- Componentes de vectores. Una señorita jala una cuerda atada a un edificio con una fuerza de 300 N, como se muestra en la figura. ¿Cuáles son las componentes horizontal y vertical de la fuerza ejercida por la cuerda en el punto P? ¿Cuál es el ángulo θ que forma con la horizontal? ¿Cuál es su magnitud?

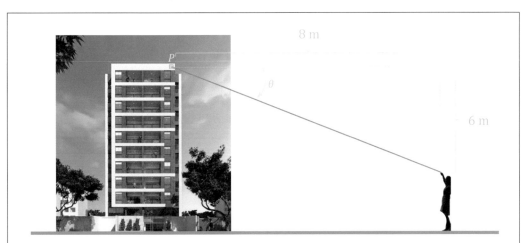

1) Realice un diagrama vectorial.

2) Determine el $\cos\theta$ y $\operatorname{sen}\theta$ con los lados del triángulo.

3) Luego, halle F_x y F_y las componentes del vector $\mathbf{F}$.

4) Finalmente, calcule $\tan\theta = F_y/F_x$ para obtener θ, y la magnitud con $\mathbf{F} = \left(F_x^2 + F_y^2\right)^{1/2}$ o empleando el mismo triángulo.

RTA.   240 N y − 180 N, $\theta = 323^0$ y 300 N

195.- Componentes de vectores. Supongamos que las componentes del vector resultante de fuerzas **R** son R_x y R_y, cada una de ellas se obtiene como la suma algebraica de las componentes de dichas fuerzas que actúan sobre una partícula. Simbólicamente se puede escribir como sigue:

$$R_x = \sum F_x \quad \text{y} \quad R_y = \sum F_y.$$

En la práctica, la determinación de la resultante **R** se lleva a cabo en tres etapas: Primero, las fuerzas se descomponen en sus componentes x y y. Segundo, se suma estas componentes x y y de **R**. Por último, la resultante $\mathbf{R} = R_x\mathbf{i}$ y $R_y\mathbf{j}$, se determina aplicando la ley del paralelogramo. Se sugiere que se confeccione una tabla dividida en 4 columnas (Fuerza, magnitud, componente x y componente y) y el número de filas dependerá de las fuerzas participantes. En la figura, se muestra cuatro fuerzas que actúan sobre el perno A. Halle la resultante, la magnitud y el ángulo respecto a la horizontal, de dichas fuerzas sobre el perno.

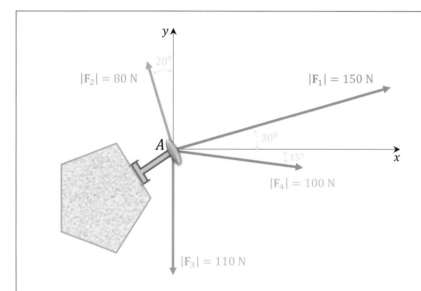

1) Siga las tres etapas.

2) Luego, una vez llena la tabla, sume las componentes en x y después en y. Dibuje el vector resultante **R**.

3) Finalmente, calcule $\tan \theta = R_y/R_x$ para obtener θ, y la magnitud con $\mathbf{R} = \left(R_x^2 + R_y^2\right)^{1/2}$ o empleando el triángulo resultante dibujado en el paso 2.

RTA. $\mathbf{R} = \langle 199 , 14{,}3 \rangle$ N, $\quad \theta = 4{,}1^0$ y ≈ 200 N

196.- Componentes de vectores. Halle la magnitud y la dirección de la resultante de los vectores que se muestran.

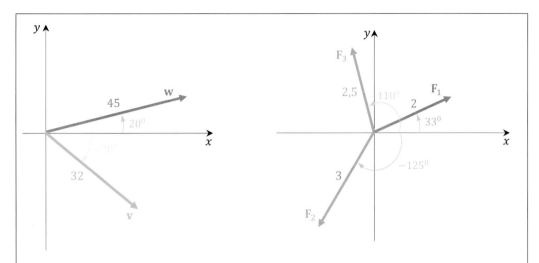

1) Siga las tres etapas.

2) Luego, una vez llena la tabla, sume las componentes en x y después en y. Dibuje el vector resultante **R**.

3) Finalmente, calcule $\tan \theta = R_y/R_x$ para obtener θ, y la magnitud con $|\mathbf{R}| = \left(R_x^2 + R_y^2\right)^{1/2}$ o empleando el triángulo resultante dibujado en el paso 2.

RTA. $|\mathbf{R}| = 63,5$ y $\theta = 171,7^0$, $|\mathbf{R}| = 1,33$ y $\theta = 132,5^0$

197.- Componentes de vectores. En la figura se muestra un gancho donde actúan las fuerzas cuyas magnitudes son 180 N y 275 N. Se pide:

A) Hallar la dirección y la magnitud de la fuerza resultante si $\theta = 30^0$.

B) Exprese la magnitud M y la dirección α de la fuerza resultante en funciones de θ, sabiendo que $0^0 \leq \theta \leq 180^0$.

C) Use una graficadora como GeoGebra para completar la tabla.

θ	0^0	30^0	60^0	90^0	120^0	150^0	180^0
M							
α							

D) Use una graficadora para representar las dos funciones M y α.

E) Explique por qué una de las funciones disminuye cuando θ aumenta mientras que la otra no.

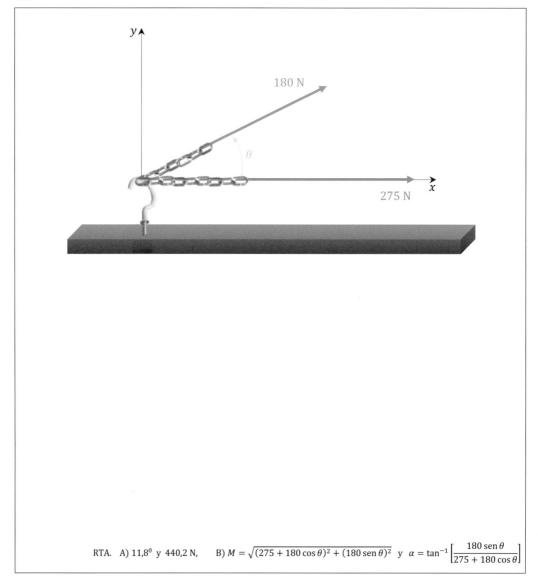

RTA. A) $11,8^0$ y $440,2$ N,   B) $M = \sqrt{(275 + 180\cos\theta)^2 + (180\,\mathrm{sen}\,\theta)^2}$ y $\alpha = \tan^{-1}\left[\dfrac{180\,\mathrm{sen}\,\theta}{275 + 180\cos\theta}\right]$

198.- Equilibrio de una partícula. Hemos estudiado diversos métodos para hallar la resultante de varias fuerzas que actúan sobre una partícula. ¿Qué sucede si dicha resultante es cero? ¿Qué significa? Significa que el efecto neto de las fuerzas dadas es cero y se dice que la partícula se encuentra en equilibrio. Según la definición, si la resultante de todas las fuerzas que actúan sobre una partícula es cero, la partícula se encuentra en equilibrio. Una partícula sometida a la acción de dos fuerzas estará en equilibrio si ambas fuerzas tienen la misma magnitud, la misma dirección (línea de acción) pero sentidos opuestos, entonces la resultante de las dos fuerzas es cero, como muestra la figura I. En la figura II se observa otro caso de una partícula en equilibrio, donde las cuatro fuerzas actúan sobre el punto A. Usted deberá comprobar que lo es. Emplee dos métodos: uno gráfico como la regla del polígono uniendo $\mathbf{F}_1$ y acomodando las fuerzas de punta a cola. El segundo método analítico, indica que la condición de equilibrio de una partícula se establece cuando:

$$\mathbf{R} = \sum \mathbf{F} = 0 \;\; \rightarrow \mathbf{R} = \sum \left(F_x\mathbf{i} + F_y\mathbf{j} \right) = \left(\sum F_x\right)\mathbf{i} + \left(\sum F_y\right)\mathbf{j} = 0 \;\;\; \therefore \sum F_x = 0 \;\; \text{y} \;\; \sum F_y = 0.$$

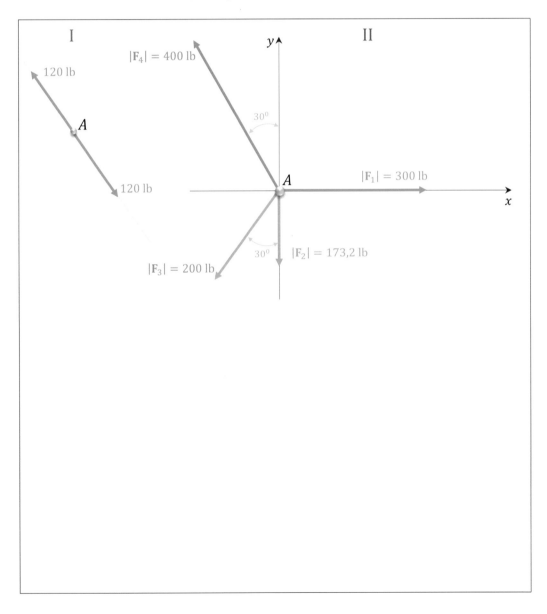

199.- Diagrama de cuerpo libre (DCL). En diversos ejercicios en especial de estática es importante graficar las fuerzas que actúan sobre un cuerpo, para ello, se dibuja un diagrama separado que muestra el cuerpo y todas las fuerzas que actúan sobre él. Dicho diagrama se conoce como diagrama de cuerpo libre. El cuerpo es aislado de otros cuerpos con los cuales interactúa y se grafica las fuerzas que estos cuerpos (fuerzas externas del cuerpo) ejercen sobre el cuerpo analizado, teniendo cuidado de no cambiar la dirección y punto de aplicación de dichas fuerzas. En la figura I, tenemos una cuerda sujetando la esfera. En el DCL de la esfera se representan las fuerzas que ejercen los cuerpos externos como la pared, la Tierra y la cuerda, sobre el cuerpo que se analiza. Si consideramos la cuerda de masa despreciable, entonces en cualquier punto la tensión T, tiene el mismo valor y se representa por un vector dirigido a lo largo de la cuerda y siempre al punto de corte imaginario (como a la mitad de su longitud). La fuerza de gravedad F_g nos mide la acción de la Tierra sobre la esfera y siempre se representa dirigido al centro de nuestro planeta (vertical hacia abajo). La pared impide que la esfera se desplace hacia la izquierda, por consiguiente, ejerce una fuerza llamada reacción de la pared denotado como R, está fuerza es perpendicular a las superficies en contacto (pared lisa). En las figuras II y III, realice el DCL correspondiente.

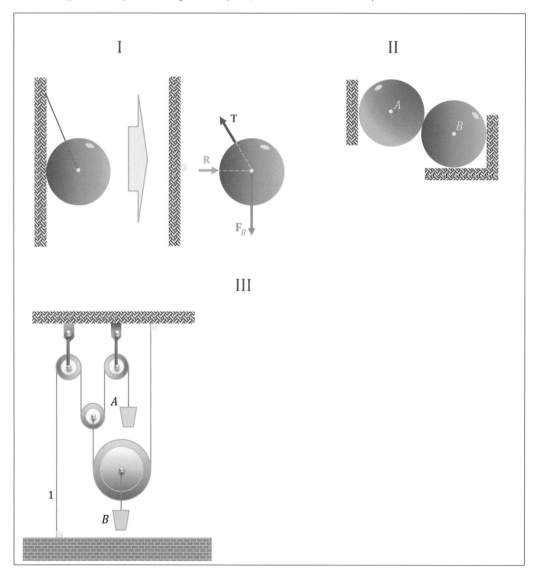

200.- DCL. Del ejercicio anterior (figura III), halle la magnitud de la fuerza de tensión en la cuerda 1. Siendo el peso del bloque B 160 N y las poleas más pequeñas 20 N y la grande es el doble. Además, use las figuras siguientes para determinar la tensión en cada cable que sostiene la carga dada.

Respecto a la primera parte de la pregunta, se trata de un esquema vertical, por tanto, considere como referencia el eje y (hacia arriba positivo y hacia abajo negativo), además, considere como sistema (como un solo cuerpo) el conformado por la polea más grande y el peso de B. RTA. $|T_1| = 60$ N y $|T_2| = 100$ N.

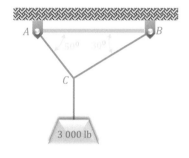

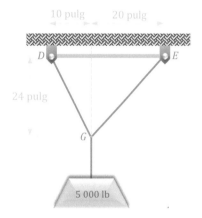

RTA. $|T_{CA}| = 2\,638$ lb, $|T_{CB}| = 1\,958$ lb y $|T_{GD}| = 3\,611$ lb, $|T_{GE}| = 2\,169$ lb

201.- Magnitud verdadera de un avión. Un avión viaja a una velocidad de 500 millas por hora con un rumbo de $N30^0$ a una altitud fija, como se observa en la figura. Cuando alcanza cierto punto, el avión encuentra un viento con una velocidad de 70 millas por hora en dirección 45^0 NE, como se muestra en la otra figura. ¿Cuáles son la velocidad y la dirección resultantes del avión?

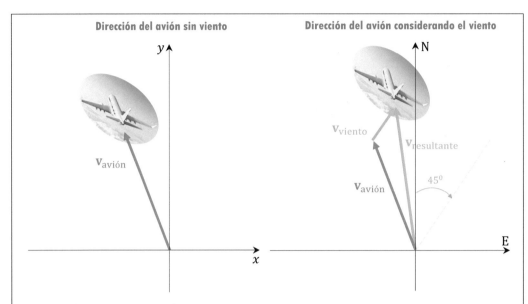

1) Halle el vector velocidad del avión sin considerar la influencia del viento.
2) Luego, calcule el vector velocidad del viento.
3) A continuación, determine la velocidad resultante del avión en el viento.
4) Finalmente, para encontrar la velocidad y la dirección resultantes (nueva velocidad alterada por el viento), obtenga su módulo y la tangente del ángulo (la cual podrá ubicar en el paso anterior).

RTA. ≈ 523 millas por hora y 113^0 con el eje positivo x

202.- Miscelánea. Magnitud verdadera de un jet. Un piloto vuela un avión hacia el este. El jet tiene una rapidez de 425 mi/h con respecto al aire. El viento está soplando al norte con una rapidez de 40 mi/h. Se pide:

A) Expresar la velocidad del viento como vector en forma de componentes.

B) Expresar la velocidad del jet con respecto al aire como vector en forma de componentes.

C) Determinar la velocidad verdadera del jet como vector.

D) Hallar la rapidez y dirección verdaderas del jet.

Tome como referencia el ejercicio 129 del **Libro 1-Parte IV.** Le sugiero realizar un gráfico del enunciado.

RTA.   A) $40\,\mathbf{j}$, B) $425\,\mathbf{i}$, C) $425\,\mathbf{i} + 40\,\mathbf{j}$ y D) 427 mi/h, N $84{,}6^0$E

203.- Miscelánea: Rapidez y dirección. Un río recto corre hacia el este a una rapidez de 10mi/h. Un bote arranca en la orilla sur del río y navega en una dirección 60^0 con respecto a la orilla (vea la figura). El bote de motor tiene una rapidez de 20 mi/h con respecto al agua.

A) Exprese la velocidad del río como vector en forma de componentes.

B) Exprese la velocidad del bote de motor con respecto al agua como vector en forma de componentes.

C) Determine la velocidad verdadera del bote.

D) Halle la rapidez y dirección verdaderas del bote.

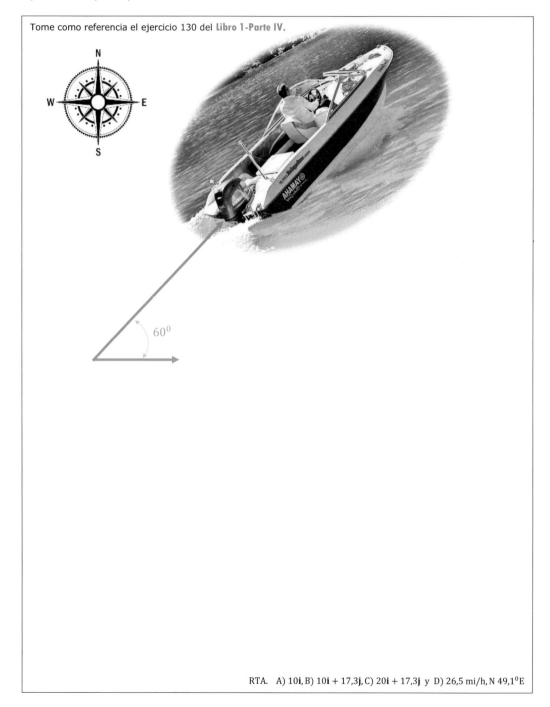

Tome como referencia el ejercicio 130 del **Libro 1-Parte IV.**

60^0

RTA.   A) 10**i**, B) 10**i** + 17,3**j**, C) 20**i** + 17,3**j** y D) 26,5 mi/h, N 49,1^{0}E

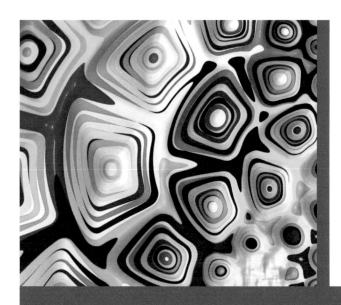

NOTEBOOK II

1.1. Sistemas de coordenadas

1.2. Línea recta

1.3. Ecuación de la circunferencia

1.4. Transformación de coordenadas

1.5. Secciones cónicas. Ecuación general de segundo grado de dos variables

1.6. Sistema de coordenadas polares

1.7. Ecuaciones paramétricas

2.1. Vectores en el plano

Comunicación matemática

2.1) Vectores en el plano bidimensional

164.- Indique si el enunciado es verdadero o falso. Justifique.

Enunciado	V o F	Justifique
Amigo lector, un vector representa un conjunto de segmentos de recta dirigidos, todos con la misma longitud y la misma dirección.		
La adición vectorial fue diseñada con el fin de poder trabajar con la composición y resolución de fuerzas y velocidades.		
Dos vectores son iguales cuando sus direcciones son perpendiculares.		
El análisis vectorial puede estudiarse en forma geométrica o analítica.		
El resultado de $3\,\mathbf{a} - 7\,\mathbf{b}$ es un escalar.		
Al vector $\mathbf{v} = v_1\mathbf{i} + v_2\mathbf{j}$ se le denomina combinación lineal de $\mathbf{i}$ y $\mathbf{j}$. A los escalares v_1 y v_2 se les llama las componentes horizontal y vertical de $\mathbf{v}$.		
Un vector $\mathbf{v}$ representado por el segmento de recta dirigido que va de $(0\,,0)$ a $(5\,,7)$, es un radio vector o representación de posición de $\mathbf{v}$.		
El número de elementos de una base de un espacio vectorial se denomina dimensión del espacio vectorial, por ejemplo, V_2 representa un espacio vectorial bidimensional o de dos dimensiones (espacio 2).		
En física se demuestra que dos fuerzas aplicadas a un objeto en un punto particular pueden reemplazarse por una fuerza equivalente, llamada resultante.		
Si $\mathbf{v} = a\,\mathbf{i} + b\,\mathbf{j} = \mathbf{0} \;\; \rightarrow a = -b$.		
El vector cero denotado por $\mathbf{0} = \langle 0\,,0 \rangle$ es ortogonal así mismo y a cualquier vector.		
Si $\mathbf{u}$ y $\mathbf{v}$ tienen la misma longitud, pero direcciones opuestas se cumple que: $\mathbf{u} + \mathbf{v} = \mathbf{0}$.		

165.- Responde las siguientes preguntas:

Pregunta	Responde
1. ¿En qué consiste la regla del paralelogramo?	
2. ¿Cuál es la dirección del vector cero?	
3. Resuelve $5(3\mathbf{i} - 2\mathbf{j})$.	
4. ¿Establece una comparación entre ortogonal y perpendicular?	
5. Calcule el vector unitario en la dirección opuesta de $\mathbf{v} = \langle 3, -2 \rangle$:	
6. Demuestre que $\mathbf{d} = \cos\theta\,\mathbf{i} - \text{sen}\,\theta\,\mathbf{j}$ y el vector $\mathbf{c} = \text{sen}\,\theta\,\mathbf{i} + \cos\theta\,\mathbf{j}$, son vectores unitarios para todo valor del ángulo θ.	
7. Según los ejemplos dados, indique los nombres de las propiedades que se aplican: $\langle 8,5 \rangle + (-\langle 8,5 \rangle) = \langle 0,0 \rangle$ $2(\langle 3,4 \rangle + \langle 2,5 \rangle) = 2\langle 3,4 \rangle + 2\langle 2,5 \rangle = \langle 10,18 \rangle$.	
8. ¿Qué es un ángulo director?	
9. Si $a = b$ compruebe que $|a\,\mathbf{i} + b\,\mathbf{j}| = \sqrt{2}\,a$.	
10. Halle las componentes del vector $\mathbf{c}$ con ángulo de dirección 36^0 y magnitud 18.	
11. ¿A qué se refiere la normalización de un vector? ¿Qué es un versor?	
12. ¿Qué entiende por magnitudes verdaderas de un avión?	

166.- Responde las siguientes preguntas:

A) Amigo lector, define magnitud vectorial y escribe 5 ejemplos aplicados en la vida cotidiana.

_____

_____

_____

_____

_____

_____

B) Que significa que exista una correspondencia entre los vectores $\langle x, y \rangle$ del plano y los puntos (x, y) del plano. ¿Cuándo se usa el símbolo de agrupación $\langle\ \rangle$ y $(\ )$ o es indistinto? Represente el par ordenado (x, y) y el vector $\langle x, y \rangle$.

_____

_____

_____

_____

_____

_____

_____

_____

C) Demuestre la propiedad asociativa de la suma de los vectores y sus respectivos componentes $\mathbf{v} = \langle v_1, v_2 \rangle$, $\mathbf{u} = \langle u_1, u_2 \rangle$ y $\mathbf{w} = \langle w_1, w_2 \rangle$. Además de la conmutativa con $\mathbf{v}$ y $\mathbf{u}$.

_____

_____

_____

_____

_____

_____

_____

_____

_____

D) Represente los elementos de un vector.

_____

_____

_____

_____

_____

_____

_____

_____

E) ¿Cuántos vectores distintos hay, todos ellos con magnitud unitaria, que sean perpendiculares a una línea en el espacio? Si $a \neq 0$, ¿cuántos múltiplos escalares distintos de a tendrán una magnitud unitaria?

_____

_____

_____

_____

_____

_____

F) Supongamos que A y B son vectores no cero representados mediante flechas con el mismo punto inicial que señalan a A y B, respectivamente. Y C denota el vector representado con una flecha desde este mismo punto inicial hasta el punto medio del segmento lineal $\overrightarrow{AB}$. Escribe C en términos de A y B. Además, pruebe que $|A - B| \geq |A| - |B|$.

_____

_____

_____

_____

_____

_____

_____

167.- Función vectorial. Sean f y g dos funciones reales de variable real t, entonces, para cada número t en el dominio común de f y g existe un vector $\mathbf{r}$ denominado función vectorial que está definida por: $\mathbf{r}(t) = f(t)\,\mathbf{i} + g(t)\,\mathbf{j}$. Dadas las funciones vectoriales siguientes:

$$\text{I) } \mathbf{r}(t) = 2\cos t\,\mathbf{i} + 2\,\text{sen}\,t\,\mathbf{j} \quad \text{y} \quad \text{II) } x = 3t^2 \text{ y } y = 4t^3.$$

Se pide en ambas ecuaciones:
A) Dibujar la gráfica de la ecuación.
B) Hallar una ecuación cartesiana de dicha gráfica.

168.- Determinación de un vector. El segmento de línea dirigido que se extiende de $(4,6)$ a $(7,11)$ es equivalente al que se extiende de $(-1,3)$ a $(2,8)$ porque los dos representan el vector $3\,\mathbf{i} + 5\,\mathbf{j}$. Se pide:

a) Represente los puntos dados y el vector respectivo.

b) ¿Cuál es el componente x de $\mathbf{i}$?

c) ¿Cuál es el componente x de $\mathbf{j}$?

d) ¿Cuál es la magnitud de $\mathbf{i} + \mathbf{j}$?

e) ¿Cuál es la magnitud de $3\,\mathbf{i} - 4\,\mathbf{j}$?

f) Especifique las direcciones en términos geográficos. ¿Cuál es el vector unitario que apunta hacia el oeste, hacia el sur y hacia el noroeste?

169.- Elementos de un vector. La dirección de un vector no cero en el plano puede describirse por el ángulo θ que forma con la dirección positiva x. Por convención se asume que este ángulo es positivo en el sentido contrario al de las manecillas del reloj. Escribe sus componentes en términos de su longitud y el ángulo mencionado. Luego, dele números, es decir, seleccione un módulo y un ángulo y halle sus componentes numéricos. Le sugiero que lo represente en forma gráfica. ¿Qué nombre le pondría a dicha representación? Sea original.

170.- Ángulo director. Determine la medida en radianes del ángulo director de cada uno de los siguientes vectores: $\mathbf{A} = \langle -1, 1 \rangle$, $\mathbf{B} = \langle 0, -5 \rangle$ y $\mathbf{C} = \langle 1, -2 \rangle$.

1) Grafique cada vector.
2) Luego, halle la tangente: $\tan \theta = a_2/a_1$, $a_1 \neq 0$ para $\mathbf{a} = \langle a_1, a_2 \rangle$. Tome en cuenta lo siguiente:
$\qquad a_1 = 0$ y $a_2 > 0 \;\rightarrow \theta = \pi/2$, pero si $a_1 = 0$ y $a_2 < 0 \;\rightarrow \theta = 3\pi/2$. Además, $0 \leq \theta < 2\pi$.
3) Finalmente, analice el valor obtenido.

RTA. $\mathbf{A}$: $\theta = 3\pi/4$, $\mathbf{B}$: $\theta = 3\pi/2$ y $\mathbf{C}$: $3\pi/2 < \theta < 2\pi$

171.- Operaciones con vectores. Calcule el vector o escalar dado, si se conoce los vectores $\mathbf{a} = \langle 2, 4 \rangle$, $\mathbf{b} = \langle 4, -3 \rangle$ y $\mathbf{c} = \langle -3, 2 \rangle$.
A) $\mathbf{a} + \mathbf{b}$,   B) $|\mathbf{c} - \mathbf{b}|$ y C) $|7\mathbf{a} - \mathbf{b}|$.

RTA. A) $\langle 6, 1 \rangle$, B) $\sqrt{74}$ y C) $\sqrt{1\,061}$

172.- Componentes del vector. Resuelve:

A) Halle los componentes del vector cuya magnitud y ángulo director se indican: 35 y 250^0.

B) Escribe el vector en la forma $r(\cos\theta\,\mathbf{i} + \operatorname{sen}\theta\,\mathbf{j})$, donde r es la magnitud y θ es el ángulo director: $3\,\mathbf{i} - 4\,\mathbf{j}$ y $2\,\mathbf{i} + 2\,\mathbf{j}$.

RTA. A) $\langle -12, -32{,}9\rangle$, B) $5\left(\dfrac{3}{5}\mathbf{i} - \dfrac{4}{5}\mathbf{j}\right)$ y $2\sqrt{2}\left(\cos\dfrac{\pi}{4}\mathbf{i} + \operatorname{sen}\dfrac{\pi}{4}\mathbf{j}\right)$

173.- Elementos de un vector. Encuentre la magnitud y dirección (en grados) de los vectores:

A) $\langle 3, 4\rangle$ y B) $\mathbf{i} + \sqrt{3}\,\mathbf{j}$.

RTA. A) 5 y $53{,}1^0$, B) 2 y 60^0

174.- Componentes del vector. Represente el vector **a** mediante sus componentes según el gráfico. Luego, dibuje el vector como representación posicional.

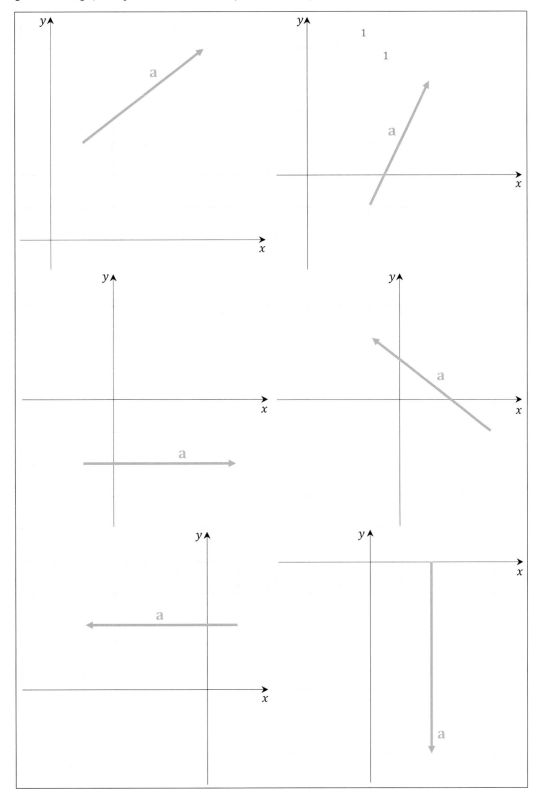

175.- Gráfica de vectores. La figura muestra los vectores **u** y **v**. Trace los siete vectores dados.

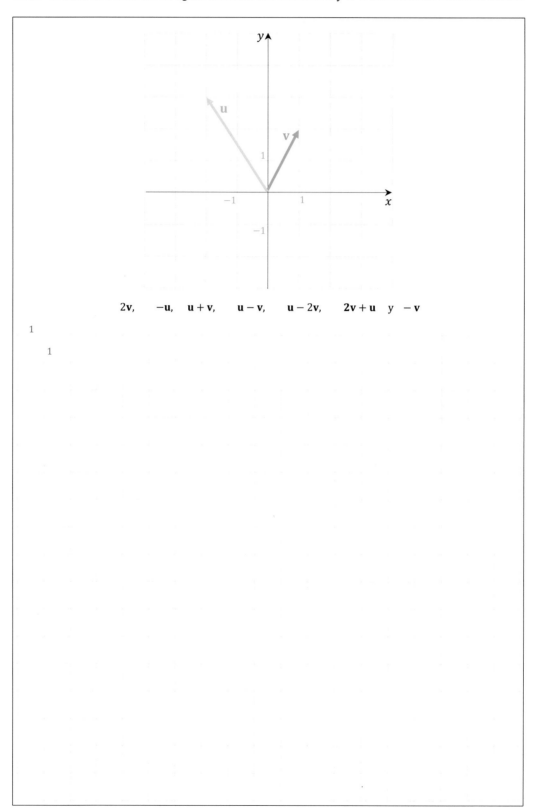

$$2\mathbf{v}, \quad -\mathbf{u}, \quad \mathbf{u} + \mathbf{v}, \quad \mathbf{u} - \mathbf{v}, \quad \mathbf{u} - 2\mathbf{v}, \quad 2\mathbf{v} + \mathbf{u} \quad y \quad -\mathbf{v}$$

1

1

176.- Fuerzas. Una fuerza se representa con un vector. Intuitivamente, podemos considerar una fuerza describiendo un empuje o atracción de un cuerpo, por ejemplo: el empuje horizontal de este libro por su escritorio o la atracción hacia abajo ejercida por la gravedad de la Tierra sobre un cuerpo. Por ello, si usted pesa 200 libras (aproximadamente $91\,kg$) significa que ejerce una fuerza de $200\,lb$ hacia abajo en el suelo. Si varias fuerzas actúan sobre un cuerpo, la fuerza resultante experimentada por él, es la suma vectorial de estas fuerzas. Dos fuerzas F_1 y F_2 con magnitudes de $10\,lb$ y $20\,lb$, respectivamente, actúan sobre un cuerpo en un punto P como se muestra en la figura. Halle la fuerza resultante que actúa en dicho punto.

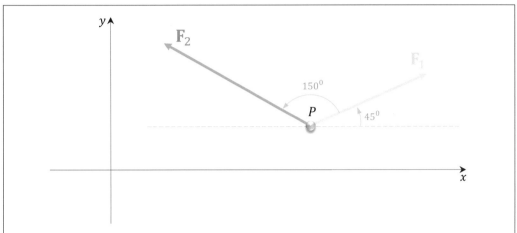

1) Sabemos que la fuerza F resultante está constituido por dos vectores componentes F_1 y F_2.
2) Luego, determine la magnitud de cada vector componente, es decir, escribe F_1 y F_2 en forma de componentes.
3) Finalmente, calcule $F_1 + F_2$. Dibuje la fuerza resultante.

RTA. $\langle -10\,, 17 \rangle$

177.- Componentes de vectores. Halle la magnitud y la dirección de la resultante de los vectores que se muestran, una en forma numérica y la otra en forma literal.

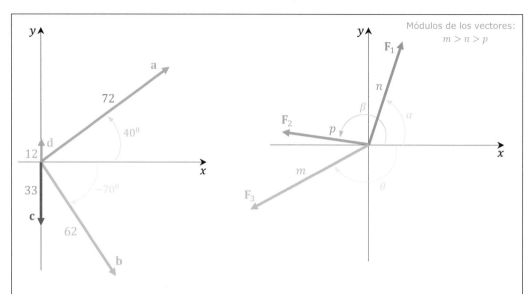

1) Primero, descomponga los vectores en sus componentes x y y. Segundo, sume estas componentes x y y de **R**. Por último, la resultante es $\mathbf{R} = R_x\mathbf{i}$ y $R_y\mathbf{j}$. Se sugiere que confeccione una tabla dividida en 4 columnas (Fuerza, magnitud, componente x y componente y) y el número de filas dependerá de las fuerzas participantes. Siga las tres etapas. (Revise el ejercicio 193 del **NOTEBOOK I**).

2) Luego, una vez llena la tabla, sume las componentes en x y después en y. Dibuje el vector resultante **R**.

3) Finalmente, calcule $\tan \theta = R_y/R_x$ para obtener θ, y la magnitud con $|\mathbf{R}| = R = \left(R_x^2 + R_y^2\right)^{1/2}$ o empleando el triángulo resultante dibujado en el paso 2.

RTA. $|\mathbf{R}| = 53,19$ y $\theta = 129,1^0$

178.- Componentes de vectores. Halle la magnitud y la dirección de la resultante de los vectores que se muestra en la figura.

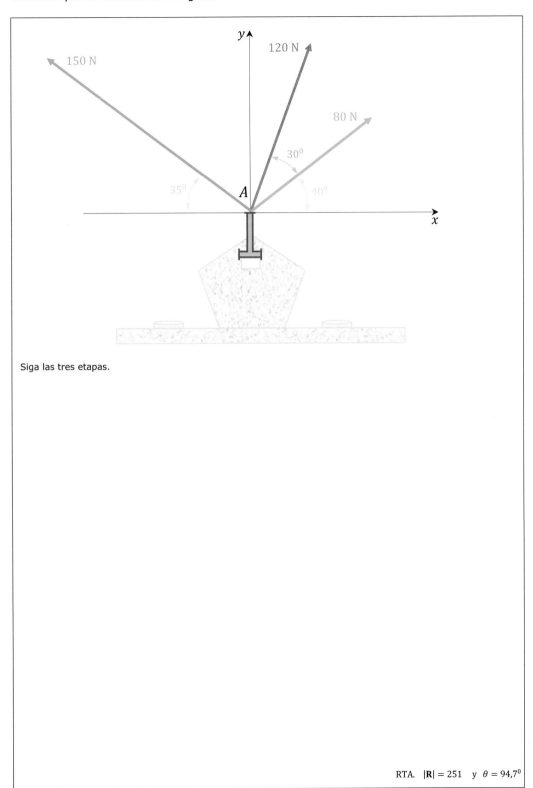

Siga las tres etapas.

RTA. $|\mathbf{R}| = 251$ y $\theta = 94{,}7^0$

179.- Componentes de vectores. Halle la magnitud y la dirección de la resultante de los vectores que se muestra en la figura.

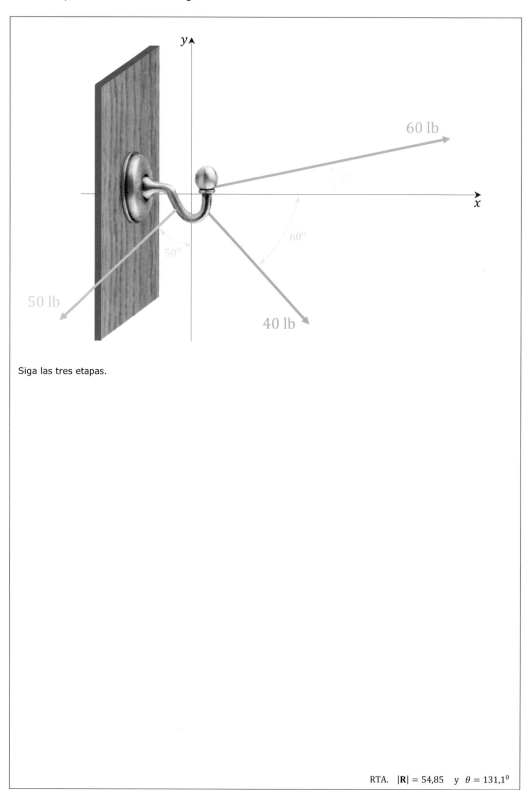

Siga las tres etapas.

RTA. $|\mathbf{R}| = 54,85$ y $\theta = 131,1^0$

180.- Componentes de vectores. Halle el vector resultante de las fuerzas que se muestran en la figura.

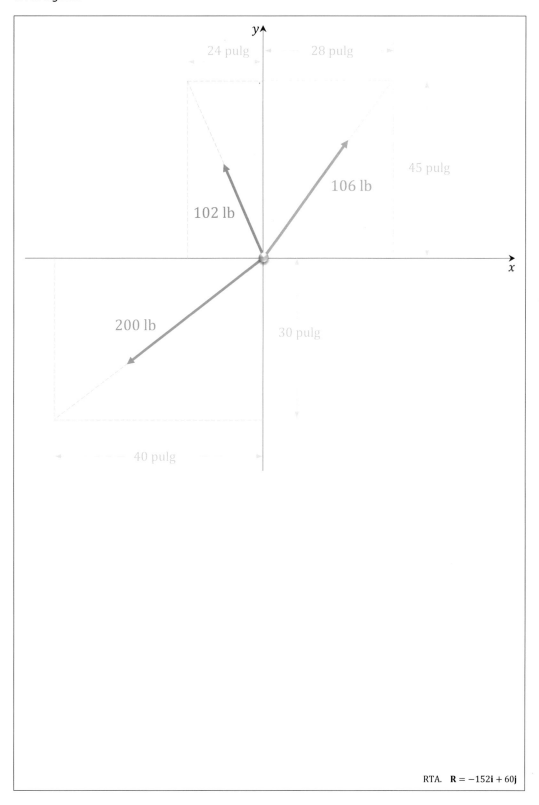

RTA. $\mathbf{R} = -152\mathbf{i} + 60\mathbf{j}$

181.- Tensión de cuerdas. Dos botes remolcadores empujan un barco como se muestra en la figura. Cada remolcador ejerce una fuerza de 400 lb. ¿Cuál es la fuerza resultante sobre el barco?

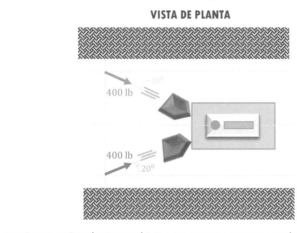

VISTA DE PLANTA

400 lb — 20^0

400 lb — 20^0

1) Exprese cada fuerza en función de su módulo y los vectores unitarios canónicos **i** y **j**.
2) Finalmente, sume las fuerzas para obtener la fuerza resultante sobre el barco.

RTA. $\mathbf{F} \approx 752\,\mathbf{i}$

182.- Funciones y vectores. Determine un vector unitario, a) paralelo y b) normal a la gráfica $f(x)$ en el punto dado. Además, represente gráficamente los vectores y la función.

I) $f(x) = -x^2 + 2019$ en $(1\,,4)$.
II) $f(x) = x^3$ en $(1\,,1)$.

1) Halle la derivada de f y evalúe para x.
2) Luego, escribe el vector, encuentre su magnitud.
3) Finalmente, determine el vector unitario.

RTA. $\pm\dfrac{\langle 1\,,-2\rangle}{\sqrt{5}}$ y $\pm\dfrac{\langle 1\,,3\rangle}{\sqrt{10}}$

183.- Componentes de vectores. Para trasladar una pesa cilíndrica de 100 lb, dos trabajadores sostienen los extremos de unas sogas cortas atadas a un arco en el centro de la parte superior del cilindro. Una soga forma un ángulo de 20^0 con la vertical y la otra forma un ángulo de 30^0, tal como muestra la figura. Se pide:

a) Determine la tensión de cada soga, si la fuerza resultante es vertical.

b) Halle la componente vertical de la fuerza de cada trabajador.

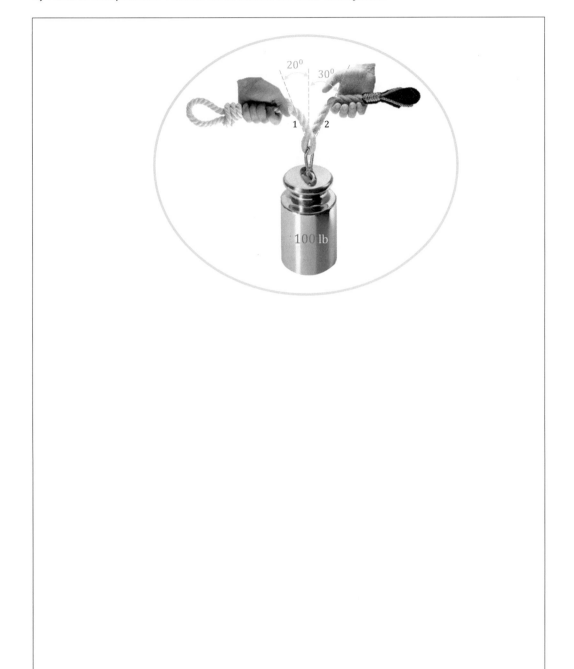

184.- Diagrama de cuerpo libre (DCL). Se tiene un embalaje de madera de 75 kg mostrado en el diagrama espacial de la figura. Éste descansaba entre dos edificios y ahora es levantado hacia la plataforma de un camión que lo quitará de ahí. El embalaje está soportado por un cable vertical unido en A a dos cuerdas que pasan sobre poleas fijas a los edificios en B y C. Calcule la tensión en cada una de las cuerdas $\left|\overrightarrow{AB}\right|$ y $\left|\overrightarrow{AC}\right|$. Vea el ejercicio 199 del Notebook I.

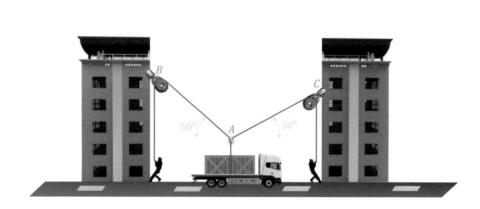

1) Realice el diagrama de cuerpo libre de las fuerzas que actúan sobre el embalaje, que serían las dos tensiones y el peso del paquete.

2) Luego, aplique dos métodos: el método gráfico con el triángulo de fuerzas, y el método analítico con el uso de la trigonometría.

3) Finalmente, obtendrá el valor de las tensiones en las cuerdas.

RTA. $|\mathbf{T}_{AB}| = 647$ N y $|\mathbf{T}_{AC}| = 480$ N

185.- Equilibrio de fuerzas. Se dice que las fuerzas $\mathbf{F}_1, \mathbf{F}_2, \cdots, \mathbf{F}_n$ que actúan en el mismo punto P están en equilibrio, o sea, la fuerza resultante es cero, se escribe $\mathbf{F}_1 + \mathbf{F}_2 + \cdots + \mathbf{F}_n = 0$. Se pide lo siguiente:

A) Halle las fuerzas resultantes que actúan en un punto P.

B) La fuerza adicional requerida (si la hay) para que las fuerzas estén en equilibrio.

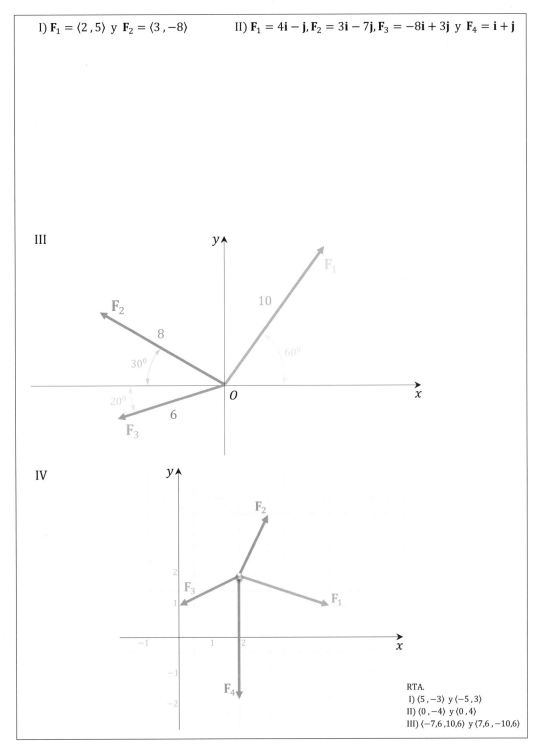

I) $\mathbf{F}_1 = \langle 2, 5 \rangle$ y $\mathbf{F}_2 = \langle 3, -8 \rangle$ II) $\mathbf{F}_1 = 4\mathbf{i} - \mathbf{j}, \mathbf{F}_2 = 3\mathbf{i} - 7\mathbf{j}, \mathbf{F}_3 = -8\mathbf{i} + 3\mathbf{j}$ y $\mathbf{F}_4 = \mathbf{i} + \mathbf{j}$

III

IV

RTA.
I) $\langle 5, -3 \rangle$ y $\langle -5, 3 \rangle$
II) $\langle 0, -4 \rangle$ y $\langle 0, 4 \rangle$
III) $\langle -7.6, 10.6 \rangle$ y $\langle 7.6, -10.6 \rangle$

186. Fuerza. Una caja es jalada hacia arriba sobre un plano inclinado, tal como se muestra en la figura. Halle la fuerza **W** necesaria para que la componente de la fuerza paralela al plano inclinado sea de 2,5 lb. Proporcione la respuesta en forma de componentes. Además, determine la forma de componentes de la fuerza e interprete dichos componentes.

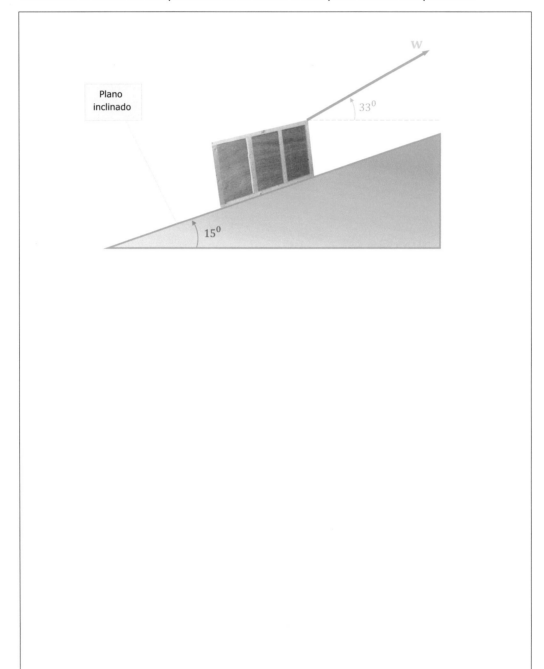

RTA. $\langle 2,2 , 1,4 \rangle$

187. Carga eléctrica. Una carga eléctrica Q se distribuye de manera uniforme a lo largo del eje y entre $y = -a$ y $y = a$, como se aprecia en la figura adjunta. La fuerza total ejercida sobre la carga q sobre el eje x por la carga Q es $\mathbf{F} = F_x\mathbf{i} + F_y\mathbf{j}$, donde:

$$F_x = \frac{qQ}{4\pi\varepsilon_0}\int_{-a}^{a}\frac{L}{2a(L^2+y^2)^{3/2}}\,dy \quad \text{y} \quad F_y = -\frac{qQ}{4\pi\varepsilon_0}\int_{-a}^{a}\frac{L}{2a(L^2+y^2)^{3/2}}\,dy.$$

Halle $\mathbf{F}$.

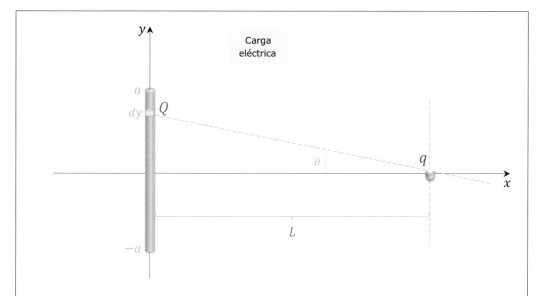

1) Como $y = 2a\big[(L^2+y^2)^{3/2}\big]$ es una función impar en $[-a\,,a]$ con $F_y = 0$.
2) Luego, considere para la integración: $y = L\tan\theta \;\rightarrow\; dy = L\sec^2\theta\;d\theta$. Además: $1 + \tan^2\theta = \sec^2\theta$.
3) Finalmente, integre desde $\theta = 0$ y $\theta = \tan^{-1}(a/L)$.

RTA. $\mathbf{F} = \dfrac{qQ}{4\pi\varepsilon_0 L\sqrt{L^2+y^2}}\,\mathbf{i}$

188.- Miscelánea. Rapidez de una lancha. Si **v** es el vector velocidad, entonces |**v**| es la rapidez, una cantidad escalar. En el siguiente ejercicio, se trata sobre la navegación marina, se hace referencia a la velocidad de una lancha con relación al agua y a la velocidad de la corriente de éste. La resultante de estas dos velocidades, es la velocidad de la lancha en relación con la tierra firme. Una lancha sale de la ribera Sur de un río con un enfilamiento (o curso relativo) al norte y con una velocidad de 8 mi/h relativa al agua. Si la velocidad de la corriente es 3 mi/h hacia el Este, ¿cuál es la rapidez de la lancha en relación con tierra firme y cuál es su curso? Interprete los resultados. A modo de comprobación, ¿podría resolverlo usando la ley de cosenos y la ley de senos? Si no se pudiera ¿explique la razón?

1) Realice un gráfico de las posiciones de las velocidades dadas. Considere que el vector **a** representa la velocidad de la lancha relativa al agua. El vector **b** representa la velocidad de la corriente en relación con tierra firme.

2) Luego, obtenga **a** + **b**, que representa la velocidad de la lancha en relación con tierra firme.

3) Finalmente, calcule |**a** + **b**| y θ. Tome como referencia el ejercicio 127 del Libro 1-Parte IV.

RTA. A) 8,5 y B) $\theta = 69,4^0$

189.- **Miscelánea.** Magnitud verdadera del avión. Un avión vuela en dirección 302^0. Su velocidad con respecto al aire es de 900 km/h. El viento a la altitud del avión viene del suroeste a 100 km/h (vea la figura). ¿Cuál es la verdadera dirección del avión y cuál su velocidad respecto al suelo?

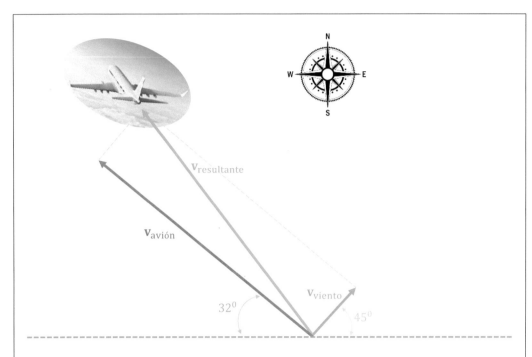

1) Halle el vector velocidad del avión sin considerar la influencia del viento.
2) Luego, calcule el vector velocidad del viento.
3) A continuación, determine la velocidad resultante del avión en el viento.
4) Finalmente, para hallar la dirección y la velocidad resultantes (nueva velocidad alterada por el viento), obtenga la tangente del ángulo (la cual podrá ubicar en el paso anterior) y su módulo respectivamente.

RTA. $38,3^0$ NO y ≈ 883 km/h

190.- Miscelánea. Magnitud verdadera de un jet. Un avión jet está volando en el aire que sopla con una rapidez de 55 mi/h en la dirección N 30^0 E (vea la figura). El jet tiene una rapidez de 765 mi/h con respecto al aire, y el piloto guía al jet en la dirección N 45^0 E. Se pide:

A) Expresar la velocidad del viento como vector en forma de componentes.

B) Exprese la velocidad del jet con respecto al aire como vector en forma de componentes.

C) Determine la velocidad verdadera del jet como vector.

D) Halle la rapidez y dirección verdaderas del jet.

Tome como referencia el ejercicio 129 del libro 1.

BIBLIOGRAFÍA

➢ Apostol Tom. Calculus. Editorial Reverté, 2da. Ed. 1998.

➢ Apostol Tom. Calculus II. Editorial Reverté, 2da. Ed. 1975.

➢ Arya Jagdish. Matemáticas aplicadas a la administración y economía. México, Pearson, 5ta. Ed., 2009.

➢ Brigham Eugene. Fundamentos de la administración financiera. 10ma. Ed. 2005.

➢ Budnick Frank. Matemáticas aplicadas para administración, economía y ciencias sociales. Mc Graw Hill. 4ta Ed. 2006.

➢ Cordeiro José. Planeamiento estratégico. Convenio Pluspetrol Perú corporation-UNI. 2007.

➢ Demana Franklin. Precálculo gráfico, numérico, algebraico. México, Pearson, 7ma. Ed., 2007.

➢ Diccionario de matemáticas. Grupo Editorial Norma, Perú, 1 982.

➢ Finney Thomas. Cálculo de una variable. México, Addison Wesley Longman, 9na. Ed., 1998.

➢ Frances Antonio. Estrategia y planes para la empresa. Editorial Pearson. 2006.

➢ Haeussler Ernest. Matemáticas para administración y economía. México, Pearson, 12ava. Ed., 2008.

➢ Harshbarger Ronald. Matemáticas aplicadas para administración, economía y ciencias sociales. Mc Graw Hill. 7ma Ed., 2005.

➢ Hasser, LaSalle, Sullivan. Análisis matemático-Curso intermedio. Editorial Trillas. 1971.

➢ Kindle J. Geometría analítica. Mc Graw Hill. 1ra. Ed. 2007.

➢ Kiselion, Krasnov. Problemas de ecuaciones diferenciales ordinarias. Editorial latinoamericana. 3ra. Ed., 1979.

➢ Hoffmann Laurence. Cálculo aplicado para administración, economía y ciencias Sociales. Mc Graw Hill, 8va.Ed. 2006.

➢ Krasnov M. Análisis vectorial. Editorial MIR-Moscú. 1981.

- Kreyszig Erwin. Matemáticas avanzadas para ingeniería. Editorial Limusa Wiley. 4ta. Ed. 2013.
- Krugman Paul. Fundamentos de economía. Editorial Reverté, 2008.
- Larson Hostetler. Cálculo. Colombia, Mc Graw Hill. 2006.
- Lass Harry. Análisis vectorial y tensorial. Editorial CECSA. 1ra Ed., 1969.
- Leithold Louis. El Cálculo. México, Grupo Mexicano Mapasa, 7ma Ed., 1998.
- Lehmann Charles. Geometría analítica. Editorial Limusa Wiley. Vigésima edición 1994.
- Lima, Elon Lages. Curso de análisis-volumen 2. IMPA. 1981.
- Marsden Jerrold. Cálculo vectorial. Editorial Pearson, 5ta. Ed. 2006.
- OIT. Cómo interpretar un balance. 2da. Ed. 1998.
- Piskunov N. Cálculo diferencial e integral. Editorial MIR-Moscú. 4ta Ed., 1971.
- Pita Claudio. Calculo vectorial. Editorial Prentice Hall hispanoamericana. 1ra. Ed., 1995.
- Proinversión-Esan. MYPEqueña empresa crece. 2da. Ed. 2007.
- Rogawski Jon. Cálculo de una variable. Editorial Reverté. 2012.
- Samuelson Paul. Economía. Editorial Mc Graw Hill. 19va. Ed. 2010.
- Sadler A. Understanding Pure mathematics. Oxford University Press.
- Santaló Luis. Vectores y tensores con sus aplicaciones. EUDEBA. 1961.
- Snider Davis. Análisis vectorial. Editorial Mc Graw Hill, 6ta. Ed. 1992.
- Soo Tang Tan. Matemáticas para administración y economía. México, International Thomson Editores, 3ra. Ed., 2005.
- Spivak Michael. Calculus. Editorial Reverté, 2da. Ed. 1992.
- Stewart James. Cálculo conceptos y contextos. México, International Thomson Editores, 1999.
- Sydsaeter Knut. Matemáticas para el análisis económico. Editorial Pearson. 2006.
- Zandin Kjell. Maynard manual del ingeniero industrial (2 tomos). Mc Graw Hill. 5ta. Ed. 2008.
- Zill Dennis. Cálculo. Mc Graw Hill, 4ta. Ed. 2011.
- Zill Dennis. Ecuaciones diferenciales. Cengage, 9na. Ed. 2009.

Colección

DEL COLEGIO A LA UNIVERSIDAD II

Pasitos de bebé

¡Compre la colección en tapa blanda!

Así podrá resolver en el mismo libro, los ejercicios y problemas de aplicación en la vida cotidiana. Recuerde que, siempre debe **DOCUMENTAR** lo que aprende. De esta forma, su **biblioteca** estará creciendo **matemáticamente.**

¡Compre los libros 2, 3, 4, 5, 6, 7, 8 y 9!

Made in the USA
Columbia, SC
21 November 2024

47264951R00111